La lecto-escritura y la escuela

Ana María Kaufman

La lecto-escritura y la escuela

Una experiencia constructivista.

La lecto-escritura y la escuela
Una experiencia constructivista

Aula XXI
Santillana/Argentina

Proyecto editorial: Emiliano Martínez Rodríguez
Dirección: José Encinas

Beazley 3860 (1437) Buenos Aires - Argentina
Establecido el depósito que
dispone la ley 11.723

Publicado en setiembre de 1988.

Primera reimpresión, agosto de 1989.

Segunda reimpresión, diciembre de 1989.

Tercera reimpresión, julio de 1990.

Cuarta reimpresión, mayo de 1991.

Quinta reimpresión, diciembre de 1992.

Sexta reimpresión, mayo de 1994.

ISBN 950-46-0090-5

LIBRO DE EDICIÓN ARGENTINA
Printed in Argentine

Para mi madre.

"En todos mis escritos pedagógicos, tanto en los antiguos como en los más recientes, he insistido (...) en que la educación formal podría avanzar más que con los métodos empleados hasta ahora a partir de una utilización sistemática de la evolución mental espontánea del niño."

Jean Piaget

"En algunos momentos de la historia hace falta una revolución conceptual. Creemos que ha llegado el momento de llevarla a cabo en el área de la alfabetización."

Emilia Ferreiro

"El absurdo de la escuela tradicional es que se escribe nada y para nadie. Todo el esfuerzo que la escuela tradicional pide al niño es el de aprender a escribir para demostrar que sabe escribir."

Francesco Tonucci

*"**El uso total de la palabra para todos** me parece un buen lema, de bello sonido democrático. No para que todos sean artistas, sino para que nadie sea esclavo."*

Gianni Rodari

INDICE

Pág.

INTRODUCCION 4

CAPITULO I: Evolución del grupo en escritura y lectura ... 11

CAPITULO II. Historia de Luciano 23

CAPITULO III: Yo te doy, tú me das, él me da 70

COMENTARIOS FINALES 106

BIBLIOGRAFIA 111

INTRODUCCION

¿Dónde, cuándo y cómo se comienza a aprender a leer y a escribir?

Es probable que esta pregunta haga sonreír a un lector poco advertido, ya que la respuesta suele aparecer disparada de inmediato, dictada por la costumbre y el sentido común. No sólo la mayor parte de los docentes, sino también la mayor parte de la sociedad, considera que este aprendizaje se realiza en la escuela, comienza cuando el niño ingresa a primer grado y consiste en conocer las letras del abecedario.

No obstante, hemos escuchado a muchas madres comentar que sus hijos aprendieron a leer y a escribir "solos", antes de entrar a la escuela primaria. ¿Se trata de niños superdotados, que acceden individualmente y por sus propios medios, a un saber que sólo es abordable por la mayoría, a través de una enseñanza sistemática por parte del maestro?

Las investigaciones sobre lecto-escritura, dirigidas por Emilia Ferreiro durante la última década, en varias de las cuales tuve oportunidad de participar, han arrojado información que nos permite cuestionar esta posible explicación.

La primera vez que asistí a un seminario sobre aprendizaje desde la perspectiva psicogenética, dictado por Ferreiro allá por el año 1973, escuché esta afirmación categórica que ella expuso en la reunión inicial: *La teoría de Piaget no teme al error ni al olvido.* Demoré un tiempo en comprender el profundo alcance de esta aseveración. Para ello tuve que despojarme de los resabios conductistas de mi formación docente y psicopedagógica, que enfatizaban la asociación y la repetición como motores del aprendizaje. Desde este punto de vista, ¿cómo no temer al error si, una vez establecida una asociación incorrecta, ésta iba a quedar "fijada"?,¿cómo no proponer la repetición de ejercicios si esa era la mejor manera de fijar las asociaciones correctas?,¿cómo no temer al olvido si no se repetían los contenidos una y otra vez?

Mi participación en las investigaciones sobre la adquisición de la lecto-escritura, encaradas a partir de un marco teórico provisto por las investigaciones psicológicas y epistemológicas de Jean Piaget y valiosos aportes de la psicolingüística contemporánea, me permitió apreciar construcciones insospechadas por parte de los niños; me permitió tener un contacto directo con el arduo trabajo intelectual que es capaz de desarrollar un niño de corta edad cuando intenta interpretar un dato de la realidad que ha pasado a ser significativo para él; me permitió advertir con qué fervor defienden sus apreciaciones cuando responden a una convicción que, en ese momento, les resulta satisfactoria para resolver un problema...

Piaget y sus colaboradores han insistido en remarcar la importancia central de la *acción* en toda construcción de conocimientos. Es a partir de su acción que el niño va a ir conociendo —es decir, comprendiendo— el mundo que lo rodea. El término "acción" no es utilizado en la acepción corriente de acción física efectiva, ya que puede tratarse de acciones interiorizadas, que no son observables desde el exterior. Una persona está realizando una actividad cuando está buscando semejanzas y diferencias entre las cosas, cuando está comparando, ordenando, buscando regularidades, etc., que le permitan interpretar datos de la realidad, aunque no esté manipulando objetos.

Esta acción es concebida por la epistemología genética como una permanente *interacción* entre el sujeto y el medio. En efecto: a partir del doble juego de la asimilación y la acomodación el niño va estructurando el mundo y construyendo sus propias estructuras de pensamiento.

¿Qué significa esto?

Piaget dice: "... el conocimiento no puede concebirse como si estuviera predeterminado, ni por las estructuras internas del sujeto, puesto que son el producto de una construcción efectiva y continua, ni por los caracteres preexistentes del objeto, ya que sólo son conocidos gracias a la mediación de estas estructuras, las cuales los enriquecen al encuadrarlos...". (J. Piaget, 1970, pág. 8).

Es decir: el conocimiento nunca es una copia del objeto. Para incorporarlo (asimilarlo), el sujeto lo modificará, lo interpretará de acuerdo con los instrumentos intelectuales de que disponga pero, a su vez, estos instrumentos deberán ir acomodándose a las características del objeto.

Será en función de esa interacción permanente con el medio que las estructuras cognitivas del sujeto se irán modificando, logrando cada vez nuevos y mejores niveles de equilibrio.

Estas dos notas —*constructivismo* e *interaccionismo*— son características salientes de la epistemología genética.

El aprendizaje es un modo particular de construcción de conocimientos, razón por la cual el aprendizaje de la lengua escrita comparte, con cualquier otro aprendizaje, el modo de funcionamiento descripto anteriormente. También en este dominio el niño, en su afán por interpretar el sistema de escritura, *formulará hipótesis, las pondrá a prueba y deberá reformularlas en caso de que resulten insuficientes para interpretar escrituras que el medio le presenta o entren en contradicción con otras hipótesis que él mismo haya construido.* Estas hipótesis son verdaderos esquemas de asimilación con los que el niño intentará entender cómo funciona ese objeto tan complejo: la escritura.

Las investigaciones de Ferreiro han puesto de manifiesto las ideas que los niños tienen acerca del sistema de escritura, los modos estables de organización cognitiva que se suceden en un orden determinado, como así también los aspectos dinámicos del proceso, es decir, lo que determina y permite el pasaje de un nivel de conceptualización a otro.

Estos conocimientos de índole psicogenética revisten un valor incalculable para quien quiera incursionar en la educación, siempre y cuando esté convencido de que el niño es el verdadero actor de su propio aprendizaje.

Hubo quienes compartieron este pensamiento hace ya varios años, razón por la cual, cuando Jorge Apel, director de la Escuela Jean Piaget de Buenos Aires, me propuso realizar una experiencia didáctica con los niños de 1er grado en 1984, existían varios antecedentes que orientaron nuestra labor.

Fue Ana Teberosky, antigua colaboradora de Ferreiro, la que comenzó a explorar esta modalidad de trabajo en el aula, basada en los fundamentos teóricos mencionados anteriormente: la concepción de aprendizaje que se desprende de la teoría psicogenética y el consecuente respeto por el proceso específico a través del cual un niño trata de comprender el sistema de escritura, a lo que se agrega la importancia conferida a los intercambios de información entre los niños.

La primera experiencia fue realizada en 1980 con un grupo de niños de nivel preescolar en una escuela del área urbana de la ciudad de Barcelona. La población de esa escuela era de clase media y los padres de los alumnos hacían uso frecuente de la lengua escrita. En una publicación (Teberosky, 1982) se asentaron los principios metodológicos que guiaron la organización del trabajo en el aula, que pueden sintetizarse de la siguiente manera:

— Los niños trabajaban en grupos de no más de cinco o seis integrantes. Estos grupos no se constituían de manera espontánea, sino que eran organizados por la maestra, con el criterio de reunir a sujetos de niveles diferentes de conceptualización sobre el sistema de escritura. Estos niveles eran diferentes pero próximos, a fin de favorecer intercambios más fecundos.

— La maestra no impartía enseñanza. Su tarea consistía en proponer actividades, facilitar los intercambios entre los niños, socializar las preguntas que le eran formuladas, respondiéndolas cuando ningún miembro del grupo fuera capaz de hacerlo y destacar las opiniones que considerara interesantes para hacer avanzar las concepciones de los niños.

— Dentro del grupo fue permitido todo tipo de actividades: podían copiar, dictar, consultar a otros, corregir sus producciones y las ajenas, etcétera.

Estos principios generales orientaron diversas experiencias posteriores, cada una de ellas con sus peculiaridades específicas, que tuvieron lugar en diferentes países. En este trabajo comentaremos algunos aspectos de la que realizamos en 1er grado de la escuela Jean Piaget en el ciclo lectivo de 1984. Se trata de un establecimiento de enseñanza privada al que asisten niños de clase media y media alta, muchos de ellos hijos de profesionales.

La tarea contó con dos modalidades de trabajo complementarias:

a) Evaluaciones individuales, que estuvieron a mi cargo, a fin de controlar el avance de los alumnos y planificar la organización del trabajo. Estas evaluaciones consistieron en entrevistas conducidas según el método clínico-crítico, característico de los trabajos piagetianos, en las que se proponía a los niños diferentes situaciones de producción e interpretación de textos (situaciones utilizadas previamente en las investigaciones ya mencionadas). La primera evaluación se realizó al comenzar el año escolar y, en función de ella, se hizo el primer agrupamiento de los niños a partir de sus niveles de conceptualización. En el transcurso del año realizamos tres evaluaciones más, en los meses de junio, agosto y noviembre.

b) Actividades en el aula, conducidas por la maestra.

En esta escuela se acostumbraba trabajar dos horas diarias con el grupo de 1er grado dividido en "sectores", que consistían en una especie de continuación del trabajo de rincones que se realizaba previamente en Jardín de Infantes. Hasta el año 1983 los sectores reproducían casi literalmente el carácter de los rincones de jardín. En ellos los niños podían optar por jugar con bloques, hacer dramatizaciones en el rincón de la "casita", armar rompecabezas, enhebrar, pintar, picar o recortar en el rincón de "juegos tranquilos", etcétera.

En 1984 decidimos conservar este tipo de organización pero cambiamos dos aspectos de la misma:

1) La integración de los sectores ya no sería voluntaria. La maestra era quien decidiría la composición de los pequeños grupos, eligiendo a los chicos que se encontraban en niveles próximos de conceptualización con respecto a la lecto-escritura.

2) Se reemplazó el material y las actividades posibles de cada sector por otros que permitieran en mayor medida la producción e interpretación de textos y la reflexión sobre las escrituras.

— La maestra trabajaba rotativamente con cada uno de los grupos, durante una hora. Algunas de las actividades realizadas figuran en el Cap. III. En los demás sectores los chicos trabajaban sin su control.

— El material del sector de "Juegos tranquilos" fue incrementado con juegos de letras (tipo Scrabel, Sopa de Ingenio, Bucanero, etc.) que pasaron a ser rápidamente los escogidos por la mayor parte de los niños que iban participando en el sector. Posteriormente, entre otras actividades, este sector fue utilizado para realizar álbumes; sobre diferentes temas (animales, medios de transporte, etc.) que los alumnos de primer grado donarían a la Biblioteca de la escuela. En la mesa correspondiente al sector había revistas con gran profusión de imágenes, tijeras, pegamento, lápices, marcadores y hojas. Los niños buscaban en las revistas elementos que correspondieran a la problemática en cuestión, los recortaban y pegaban en las hojas con las que armarían los álbumes. Debajo de las figuras así pegadas escribían luego lo que se sintieran en condiciones de producir (desde el nombre del objeto hasta algún enunciado o comentario sobre el mismo). Cada uno escribía tal como podía hacerlo. En otras ocasiones, y en caso de que los miembros del sector —o al menos alguno de ellos— estuvieran en condiciones de leer, la maestra dejaba consignas escritas que debían interpretar para realizar la actividad indicada.

— El sector de "dramatizaciones" fue cambiando a lo largo del año. Inicialmente se trabajó con la casita, que fue luego reemplazada por el Correo. Esta actividad fascinó a nuestros alumnos, que comenzaron a mandarse innumerables cartas que resultaban, en ocasiones, conmovedoras por la espontaneidad con que se declaraban el amor, la amistad o los resentimientos. Lamentablemente no tuvimos acceso a muchas de estas piezas epistolares que fueron celosamente custodiadas por sus destinatarios. La costumbre de enviarse cartas continuó, aun cuando el Correo fue después reemplazado por el teatro de títeres. En este caso, los integrantes del sector preparaban obritas que eran representadas posteriormente para los demás compañeros. En varias oportunidades escribieron el programa con los nombres de los personajes, la síntesis de la trama, etcétera.

— El cuarto sector se denominó "De libritos" y correspondía a la Biblioteca del aula. En él exploraban el material impreso disponible (libros, revistas, periódicos, etc.) en algunos casos leyendo y, en otros, infiriendo el contenido a partir de las imágenes. Personalmente tuve oportunidad de presenciar varios diálogos interesantísimos entre niños que todavía no se encontraban en condiciones de leer los textos, pero efectuaban su propia "lectura", comentando posibles contenidos de alguna palabra en virtud de conocer alguna de sus letras, o su longitud, etcétera.

Además del trabajo que se realizaba en los sectores, la maestra coordinó durante el año otras actividades en las que participaba toda la clase. Éstas fueron propuestas por la docente en algunos casos y, en otros, por los alumnos.

Se trató, en todo momento, de despertar el interés por los textos y provocar la reflexión sobre los mismos sin desvirtuar las funciones esenciales de la escritura. Los padres, que fueron informados desde el comienzo del año sobre nuestra modalidad de trabajo y con quienes tuvimos otras reuniones en el transcurso del ciclo lectivo, nos comunicaron en varias oportunidades acerca del interés y entusiasmo de sus hijos. Escribir no fue un ejercicio tedioso sino una actividad en la que el compromiso fundamental no involucraba a la mano y a la memoria sino a la persona toda, con su deseo de aprender y su capacidad intelectual desplegados.

No intentaré aquí dar cuenta de *todos* los detalles de la experiencia, en parte porque sería una empresa imposible y, por otro lado, porque mi intención no es dar una receta didáctica que deba ser reproducida textualmente sino transmitir al lector algunos aspectos de una propuesta que es sólo un pequeño tramo de un largo camino por recorrer.

En el Capítulo I se hace una breve síntesis de la evolución del grupo en lo que respecta a sus posibilidades de escritura y de interpretación de textos, en el Capítulo II se exponen los cambios que va experimentando la escritura de un niño a lo largo de su primer año escolar y en el Capítulo III se transcriben y comentan algunas actividades coordinadas por la maestra en el aula.

Agradezco a Emilia Ferreiro por haber inaugurado un camino sin retorno.

Me considero en deuda con la Escuela Jean Piaget, su personal directivo —Jorge Apel, Rosa Trajtenberg y Mary Kochian—, los docentes que participaron en la experiencia y los niños que aprendieron con nosotros y nos enseñaron tanto: una y otros, escena y actores sin cuyo valicso aporte este hecho pedagógico no hubiera sido posible.

Quiero hacer constar, asimismo, mi agradecimiento a la Fundación Unión Carbyde que subsidió parcialmente el primer año de esta propuesta.

Deseo, por último, agradecer a todos los que, con sus elogios y/o sus críticas, me alentaron para publicar este trabajo.

1 EVOLUCIÓN DEL GRUPO EN ESCRITURA Y LECTURA

Los alumnos de primer grado de la escuela Jean Piaget participaron durante el año 1984 de una experiencia no tradicional de aprendizaje de la lengua escrita. El grupo estaba integrado por 20 niños.

Aprendieron a leer y a escribir a partir de su propia actividad, formulando hipótesis, poniéndolas a prueba, intercambiando información permanentemente con sus compañeros y su maestra.

El punto de partida de esta experiencia fue el estado inicial **real** de cada uno de los chicos en lo que respecta a sus conocimientos del sistema de escritura: unos sabían más y otros menos, pero todos fueron avanzando sin que se desaprovechara nada de lo que ya habían construido fuera del ámbito escolar.

La experiencia fue satisfactoria. Desde el ángulo cualitativo los chicos aprendieron con alegría y orgullo bien entendido: se sentían entusiasmados como cualquier investigador que explora nuevos dominios. En lo referente al aspecto cuantitativo haremos una síntesis de los avances del grupo.

Analizaremos en primer término la evolución de las escrituras y luego veremos cómo se fueron modificando las aptitudes lectoras.

La clasificación de las escrituras se hará en función de un patrón surgido de las investigaciones dirigidas por Ferreiro. (Ferreiro y Gómez Palacio, 1982, Fascículo 2). Las categorías utilizadas serán:

escritura presilábica, silábica inicial, silábica estricta, silábico-alfabética y *alfabética*.(*)

A continuación haremos una breve descripción de cada categoría a fin de proceder después al análisis de las escrituras del grupo.

1) Presilábica:

Hay ausencia de relación entre la escritura y los aspectos sonoros del habla, es decir, no hay búsqueda de correspondencia entre las letras y los sonidos.

Cabe aclarar que, en nuestra población, los niños que tenían esta conceptualización utilizaban letras convencionales, manifestaban exigencia de cantidad (ninguno utilizaba una sola letra para escribir un nombre) y producían diferencias intencionales entre las distintas escrituras.

Ejemplo:

LAORPA

(gato)

(*) **NOTA:**
He utilizado este patrón evolutivo porque los datos fueron categorizados de acuerdo con él en su oportunidad. En función de experiencias personales posteriores y el conocimiento de otros trabajos (fundamentalmente Ferreiro 1986, Caps. I y III), me inclinaría por otorgar mayor importancia a la coordinación de los ejes cuantitativo y cualitativo en el análisis de las escrituras, por considerar que esto permitirá un diagnóstico y pronóstico más certeros.
Por ejemplo: hay niños que comienzan a vincular la escritura con la sonoridad a partir de una preocupación cualitativa por la sílaba inicial, aunque el resto de la palabra no es analizada y continúan agregando letras hasta que consideran que está completa. Ellos coordinan esta preocupación con un control sobre el eje cuantitativo, procurando que las diferentes escrituras no tengan la misma cantidad de letras (denominado "máxima diferenciación en las escrituras con valor sonoro inicial" en Ferreiro y Gómez Palacio, 1982, Fasc. 2).
En nuestra experiencia escolar, hemos podido apreciar, que estos niños suelen avanzar muy rápidamente hacia un trabajo silábico estricto utilizando las letras de acuerdo con su valor sonoro convencional, es decir, no pasan por una etapa en la que produzcan escrituras silábicas con letras cualesquiera. En muchas oportunidades hemos comprobado que el pronóstico de estos chicos era mejor que el de aquéllos que, en primer grado y a pesar de la información disponible, escribían de manera silábica estricta, pero atendiendo *exclusivamente* al eje cuantitativo, sin ninguna preocupación por los aspectos cualitativos.

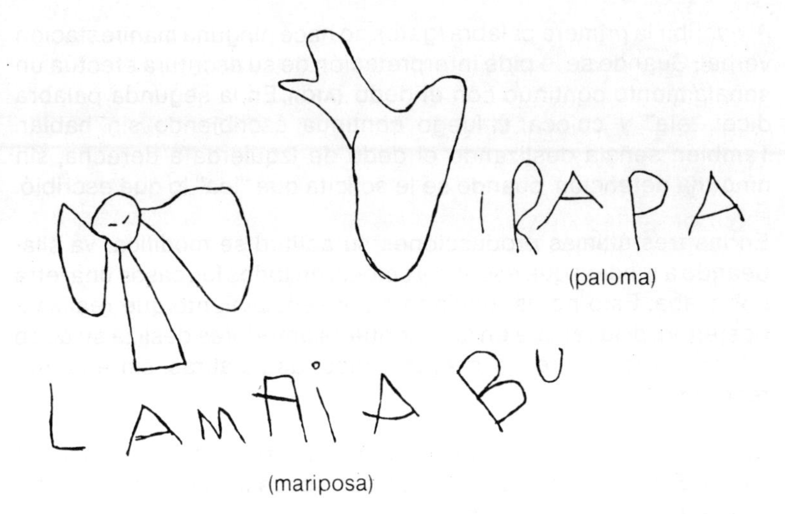

2) Silábica inicial:

Corresponde a un período de transición entre la escritura presilábica y la hipótesis silábica estricta. Se trata de los primeros intentos de escribir tratando de asignar a cada letra un valor sonoro silábico, razón por la cual no son sistemáticos y coexisten con escrituras presilábicas.

Ejemplo:

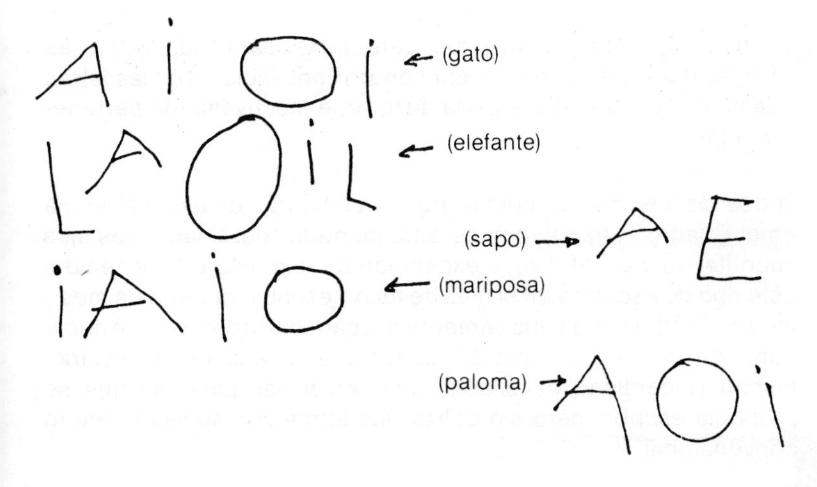

Al escribir la primera palabra (gato), no hace ninguna manifestación verbal. Cuando se le pide interpretación de su escritura efectúa un señalamiento continuo con el dedo (AIOI). En la segunda palabra dice: "ele" y coloca L, luego continúa escribiendo sin hablar. También señala deslizando el dedo de izquierda a derecha, sin ninguna detención, cuando se le solicita que "lea" lo que escribió.

En las tres últimas producciones su actitud se modifica: va silabeando a medida que escribe y coloca, en todos los casos una letra por sílaba. Esto no es reflejado en el señalamiento que realiza a posteriori: al igual que en las escrituras anteriores desliza su dedo de izquierda a derecha mientras dice las palabras, sin efectuar recortes.

Puede notarse que, en varias escrituras, también hay valor sonoro inicial. Este dato se manifestó en casi todos los niños que producían este tipo de escritura.

3) Silábica estricta:

Las escrituras tienden a establecer una correspondencia sistemática entre la cantidad de letras que se utiliza y la cantidad de sílabas que se quiere escribir.

Los niños que escriben de este modo pueden agregar a la preocupación por el aspecto cuantitativo (*cuántas* letras poner para escribir un nombre en función de la cantidad de sílabas) una exigencia de tipo cualitativo (*qué* letra poner para cada sílaba), es decir, asignar relevancia al valor sonoro convencional de las letras y usar, para cada sílaba, alguna de las que efectivamente pertenecen a la misma.

Todos los alumnos de primer grado que figuran en esta categoría en el Cuadro 1, trabajaban de esta manera, coordinando los ejes cuantitativo y cualitativo, a excepción de una niña que accedió a este tipo de escritura en el mes de julio y escribió durante un mes y medio atendiendo exclusivamente a la cantidad de letras que debía poner en cada ocasión, estableciendo una correspondencia estricta con la cantidad de sílabas que tenían las palabras que se proponía escribir, pero sin utilizar las letras con su valor sonoro convencional.

Ejemplos:

a) Escritura silábica estricta sin valor sonoro convencional:

EINM (mariposa)

AI (perro)

IAO (paloma)

Como puede advertirse, la cantidad de letras coincide en todos los casos con la cantidad de sílabas de los nombres en cuestión, pero la elección de las mismas es errática.

b) Escritura silábica estricta con valor sonoro convencional:

PO (pato)

MIOA (mariposa)

POA (paloma)

AO (gato)

En este caso, las letras utilizadas pertenecen efectivamente, en todas las ocasiones, a la sílaba que se intenta representar.

4) Silábico - Alfabética:

Corresponde a un período de transición en el que el niño trabaja simultáneamente con dos hipótesis diferentes: la silábica y la alfabética.

Las escrituras características de este período son muy familiares para los maestros del primer grado escolar. Son producciones tales como **PTO** cuando intentan escribir "pato" o **MAIPSA** para "mariposa". Los niños que escriben de esta manera inquietan particularmente a sus maestros, ya que este tipo de producciones ha sido interpretado tradicionalmente como escrituras con omisiones de letras, dato que remite inevitablemente a considerar que ese alumno es "disléxico" y debe, por consiguiente, (y a la mayor brevedad) ser derivado a un consultorio psicopedagógico.

Las investigaciones mencionadas anteriormente, realizadas en diversos países y con múltiples muestras (en un caso se trató de mil sujetos de tres regiones diferentes de México) han puesto de manifiesto que éstas son escrituras *normales* en determinado momento del proceso y no constituyen un cuadro patológico. Efectivamente, si comparamos **PTO** con la escritura correcta de **PATO**, falta la letra A, si comparamos **MAIPSA** con la escritura correcta de **MARIPOSA** hay dos letras omitidas: la R y la O. Pero otra será la interpretación si comparamos esas escrituras con las que puede producir un niño que escribe de manera silábica, o con las que efectuaba el mismo niño unos meses antes, cuando trabajaba guiado *exclusivamente* por la hipótesis silábica.

Vemos así cómo, donde tradicionalmente se interpretaba un déficit, nosotros apreciamos un avance. Porque si bien este niño adjudica a la letra **P** de "pato" un valor sonoro silábico (**P** es la **"pa"** para él) y lo mismo hace con la **I** y la **P** en "mariposa" (las letras **I** y **P** son utilizadas para representar las sílabas "ri" y "po"), puede advertirse que las demás letras ya son utilizadas con un valor sonoro fonético, lo que constituye un logro con respecto a las escrituras silábicas anteriores.

Ejemplos:

PTO (pato)

MAiPSA (mariposa)

PLOMA (paloma)

5) Alfabética:

Las escrituras son construidas en base a una correspondencia entre fonemas y letras.

En esta categoría incluimos producciones que van desde algunas que presentan ocasionales resabios silábicos y sustituciones de letras hasta otras que ya manifiestan no sólo un dominio estricto de la correspondencia fonema-letra pertinente sino, además, cierta preocupación ortográfica con indicadores de separación entre palabras cuando escriben oraciones.

Ejemplos:

LA SENIORA CONRO UNJEET EPRA SU IJO

LA SEÑORA COMPROUNGUGETEPARASUIGO

la señora conpro un jugete para su ija

Estos ejemplos fueron tomados del dictado de oración correspondiente a la cuarta evaluación: "La señora compró un juguete para su hijo". Veamos otras producciones, también alfabéticas, correspondientes a la oración dictada en la tercera evaluación: "La tortilla se prepara con huevos".

JATORTIYASEPREPARACONVUEVOS

IA TRTILLA CEPREPARA CON GUEBOS

la tortilla se prepara con huevos

Transcribiremos, a continuación, un cuadro donde puede advertirse la evolución de los alumnos de primer grado durante el año escolar, en lo referente a sus posibilidades de producir escrituras.

Estos datos surgen de las cuatro evaluaciones realizadas en los meses de marzo, junio, agosto y noviembre de 1984.

CUADRO 1

Escritura \ Evaluación	1ª	2ª	3ª	4ª
Presilábica	2 (10%)	—	—	—
Silábica inicial	9 (45%)	2 (10%)	—	—
Silábica estricta	5 (25%)	5 (25%)	4 (20%)	2 (10%)
Silábico-alfabética	2 (10%)	4 (20%)	1 (5%)	1 (5%)
Alfabética	2 (10%)	9 (45%)	15 (75%)	17 (85%)
Total	20 (100%)	20 (100%)	20 (100%)	20 (100%)

Si analizamos los casilleros correspondientes a escritura presilábica, vemos que esta categoría queda vacía en la segunda evaluación (junio).

Recordemos que las dos niñas que escribían de esta manera al comenzar el año, ya habían construido formas de diferenciación en sus escrituras, consistentes en determinado control tanto sobre el eje cuantitativo como sobre los aspectos cualitativos, que daban cuenta de un buen grado de elaboración dentro de esta primera categoría. Por otra parte, ambas niñas usaban ya letras convencionales al comenzar el año escolar.

Como puede apreciarse en el cuadro 1, la mayor concentración de la primera evaluación se produce en la escritura silábica inicial (45%). La mayoría de los niños que escribía de esta manera utilizaba, asimismo, algunas letras de acuerdo con su valor sonoro convencional.

En la segunda evaluación desciende sensiblemente la cantidad de niños que se maneja con este tipo de conceptualización: son sólo dos (10% del total) y se trata de las mismas niñas que producían escrituras presilábicas en la primera evaluación. Nueve (45%) escriben alfabéticamente y los restantes producen escrituras silábicas estrictas y silábico-alfabéticas.

En la tercera evaluación no hay niños en las dos primeras categorías; un 25% se ubica entre escrituras silábicas y silábico-alfabéticas y el 75% restante ya ha accedido a escribir guiado por la hipótesis alfabética.

Esta tendencia se agudiza en la última evaluación. Así vemos cómo, a fines del mes de noviembre, el 85% (17 niños) escribe de manera alfabética y el 15% restante se distribuye entre los dos que producen escrituras silábicas y una cuya escritura es silábico-alfabética. Es interesante señalar que las dos niñas cuya conceptualización es silábica en esta última evaluación son las que comenzaron el año con escrituras presilábicas.

Los datos cuantitativos son halagadores, ya que la evolución favorable del grupo se manifiesta claramente: no todos accedieron a la escritura alfabética al finalizar el año escolar, pero en todos los casos hay progresos interesantes.

Si analizáramos esta población a través de una óptica pedagógica tradicional, diríamos que tres niños no aprendieron a escribir en su primer año escolar.

Desde nuestra perspectiva estamos en condiciones de afirmar (y, fundamentalmente, de poder *apreciar*), que estos tres alumnos evolucionaron positivamente en el transcurso del año, que fueron construyendo hipótesis cada vez más elaboradas y más aproximadas a los principios básicos que rigen nuestro sistema de escritura, que reaccionaron adecuadamente frente a situaciones de contradicción, elaborando estrategias inteligentes para resolver conflictos... En suma: recorrieron un camino de la misma manera que los demás, camino que, al igual que sus compañeros más avanzados, seguirán transitando (y construyendo) en años posteriores.

Ellos también marcharon, también progresaron: el año no pasó en vano. Estos son, en términos generales, los datos correspondientes a la evolución del grupo en lo que respecta a las producciones escritas.

Veamos ahora qué sucedió en lo referente a las posibilidades de interpretación de textos.

En las cuatro evaluaciones se presentaron tarjetas en las que figuraban imágenes, debajo de las cuales aparecía un texto consistente, según los casos, en una palabra o una oración. En cada oportunidad se les preguntaba qué pensaban ellos que estaba escrito en cada tarjeta. (Ferreiro y Teberosky, 1979, Cap. III).

Centraremos el análisis en las que presentaban una oración. Encontramos cinco tipos de respuestas diferentes que, ordenadas evolutivamente, pueden definirse de la siguiente manera (G. Palacio y Kaufman. Cap. V):

a) ***Anticipan el contenido del texto sólo en función de la imagen a la que el mismo acompaña, considerando, por lo general, que dicha escritura consiste en el nombre del objeto —o los objetos— presentes en la ilustración.***

Ejemplos:

Frente a una tarjeta en la que hay un pato nadando en el agua, cuyo texto es "EL PATO NADA", consideran que dice "pato" señalando toda la oración, sin que para ellos sean significativos la longitud de lo escrito, los espacios en blanco entre palabras ni las letras involucradas.

b) ***Anticipan el significado del texto en función de la imagen, pero comienzan a tomar en consideración algunas de las propiedades del texto*** (longitud, espacios entre palabras cuando se trata de una oración, algunas letras conocidas que son utilizadas como índices para apoyar su predicción).

Ejemplo:

En el caso de la tarjeta mencionada anteriormente, una respuesta típica de esta categoría consiste en anticipar el nombre del objeto ("pato") pero, al observar con detenimiento el texto agrega: "No, no puede ser que diga sólo pato porque es muy largo, debe decir "El pato está en el agua" o algo así..."

Otro ejemplo de respuesta de esta categoría sería el siguiente: "Dice pato", le pedimos que señale dónde considera que dice pato (hasta aquí se trata de una anticipación hecha en función de la imagen) mira el texto y dice: "Aquí (señalando PATO) dice pato porque ésta (señala la P)es la de papá. Aquí (señala EL) y aquí (señala NADA) no sé que dice". En este caso buscó una letra conocida (P) para apoyar su predicción, consistente en atribuir al texto el nombre del objeto: pato.

c) ***Descifra (silabeando o deletreando) y llega a comprender algunas palabras del texto.***

Ejemplo:

Ante una tarjeta en la que hay una jirafa y el texto es LA JIRAFA TIENE CUELLO LARGO, una niña lee así: "La ji...rra...fa...jirafa, ti...ne...n...e cu...e...l...l...lo...la...rr...go... (pone cara de extrañeza)

¿qué dice?, ¿La jirafa qué? No entiendo... (vuelve a intentar). La jirafa ti...ne...ti...e...ne..., ¡ah! tiene cu...e...l...l...o... no sé qué tiene..."

d) Descifra (silabeando o deletreando) y llega a comprender todos los textos.

Ejemplo:

Otra niña, frente a otra tarjeta en la que hay varios juguetes y el texto es ESTOS JUGUETES SON NUEVOS, lee de la siguiente manera: "Es...tos...ju...gu...e...tes...s...o...so...n...nu...e...vo...s..., ¿los juguetes son nuevos? a ver... (mira nuevamente el texto) e...es...tos... ¡Ah! estos juguetes son nuevos".

e) Lectura fluida.

Incluimos aquí aquéllos que, al leer, iban diciendo las palabras sin cortar la emisión o bien otros que miraban durante unos segundos y luego decían completos los enunciados.

Una vez descriptas las categorías de análisis, veamos ahora la síntesis de la evolución de las aptitudes lectoras de nuestros niños de 1er grado.

Cuadro 2

Lectura \ Evaluación	1ª	2ª	3ª	4ª
a	10 (50%)	5 (25%)	1 (5%)	—
b	10 (50%)	1 (5%)	1 (5%)	2 (10%)
c	—	12 (60%)	3 (15%)	2 (10%)
d	—	2 (10%)	6 (30%)	3 (15%)
e	—	—	9 (45%)	13 (65%)
Total	20 (100%)	20 (100%)	20 (100%)	20 (100%)

En el cuadro 2 puede apreciarse que, en el mes de marzo, las respuestas se concentran en las dos primeras categorías, repartidas por partes iguales. Diez niños (50%) anticipaban el contenido de los textos basándose exclusivamente en las imágenes, mientras que los diez restantes, si bien fundaban su predicción en la ilustración, ya comenzaban a conflictuarse por algunas características del texto que contradecían la anticipación inicial.

Esta situación se modifica en el mes de junio, donde sólo seis permanecen en las dos primeras categorías mientras que los otros 14 se distribuyen entre las respuestas **c** y **d**.

Un dato relevante de nuestra experiencia fue el siguiente: si bien todos los niños atravesaron una etapa en la que trataban de descifrar los textos, procediendo a efectuar por momentos penosos silabeos o deletreos, este período fue, en todos los casos, relativamente breve. Otra peculiaridad es que siempre intentaban arribar a algún resultado significativo y, cuando esto no era logrado (es decir, cuando después de deletrear o silabear no accedían a una integración con sentido), manifestaban insatisfacción y preguntaban: "¿qué dice?"

Considero que ambos son buenos indicadores con respecto al establecimiento de un vínculo adecuado con la lectura. A través de mi participación en otras investigaciones, tuve oportunidad de entrevistar niños que permanecían lapsos prolongadísimos sonorizando las letras de un texto sin acceder a su significación y no manifestaban por ello ninguna perturbación. Para ellos leer podía consistir en producir sonidos desarticulados, provenientes del ejercicio de poner en correspondencia las letras con los fonemas. Es posible que esto se relacione con ciertas prácticas escolares que tienden a reforzar y enfatizar el descifrado como el camino idóneo para acceder a la comprensión.

Veamos qué sucede en la tercera evaluación: el 75% de la clase se ubica entre las categorías **d** y **e**. Esto es: 15 niños ya comprendían los textos de todas las tarjetas en el mes de agosto (seis de ellos descifrando previamente y nueve sin efectuar ningún tipo de silabeo o deletreo).

Esta tendencia continúa en la cuarta evaluación, en la que ya son trece quienes leen de manera fluida y tres comprenden los textos silabeándolos previamente. Entre ambos tipos de respuesta se ubica, pues, el 80% de los casos. El 20% restante (cuatro niños) se distribuye entre las categorías **b** y **c**, quedando vacía la primera categoría.

Al finalizar el año, sólo dos alumnas no pueden leer ningún texto, aunque ya toman en consideración algunos aspectos formales de los mismos. Cabe aclarar que se trata de las dos niñas que terminaron el año escribiendo de manera silábica.

Como puede apreciarse en los cuadros 1 y 2, el análisis cuantitativo del avance es satisfactorio. Pero el aprendizaje de la lectura y la escritura no empieza ni termina en el primer año escolar: se inició antes que los niños ingresaran a la escuela primaria y continuará en años posteriores. Un intenso esfuerzo intelectual seguirá siendo demandado para que puedan proseguir asimilando toda la complejidad del sistema de escritura.

2 HISTORIA DE LUCIANO

Luciano cumplió seis años. Llegó por fin el ansiado momento de ingresar a la escuela primaria, con lo que se ha ganado el derecho (¿y la obligación?) de aprender a leer y a escribir.

Sus padres, y él mismo, creen que no sabe casi nada sobre el particular, ya que solamente le han enseñado a escribir su nombre y algunas letras.

No obstante, antes de entrar a primer grado, Luciano se ha interesado por ese tipo particular de grafías —diferentes de los dibujos— que ve en los envases de las golosinas, de los alimentos, en los carteles de la televisión y de la calle, etc. Ha visto a su padre y a su madre escribir y leer frecuentemente. Ha preguntado y ha obtenido respuestas.

Es decir: antes de entrar a la escuela primaria, Luciano empezó a tratar de comprender el sistema de escritura formulando hipótesis originales, que hubieran sorprendido a los adultos que le suministraban información.

Él ya sabe que los textos son portadores de significado, esto es, que la escritura es un objeto sustituto. Ha descubierto también que nuestro sistema de escritura (alfabético) privilegia la representación de los significantes. Dicho de otra manera: sabe que las palabras "panza" y "barriga" van a escribirse de manera muy diferente aunque el significado sea compartido, porque la sonoridad es muy distinta.

Sí. Luciano ya sabe bastante acerca de la escritura. Hasta aquí todo lo dicho coincide con lo que los adultos piensan. Pero, antes de arribar a estas conclusiones, él fue construyendo hipótesis que no tendían a vincular la escritura con la sonoridad del lenguaje. Al igual que todos los niños, fue estableciendo diferenciaciones que eran previas al establecimiento de dicha relación: a) entre el dibujo y la escritura, b) entre aquéllas piezas de escrituras consideradas realmente escritura y otras que son descartadas por no cumplir con los requisitos de tener una cantidad mínima (y máxima) de letras y que éstas ostenten determinada variedad, c) entre una escritura y otra (para que "digan" cosas distintas, los textos deben ser diferentes). (Ferreiro, 1986, Cap. 1).

Decíamos anteriormente que las ideas de Luciano coincidían con la conceptualización de los adultos: nuestra escritura alfabética tiene una relación sistemática con los sonidos del habla. No obstante, nuestro personaje considera que esa relación tiene cierta peculiaridad: los elementos sonoros que se vinculan con las letras son las sílabas.

Luciano, como todos los niños en determinado momento de su aproximación a la lengua escrita, ha llegado a esa conclusión, pero no sólo toma en cuenta la correspondencia cuantitativa (es decir, que una palabra de tres sílabas va a escribirse con tres letras y una tetrasilábica con cuatro) sino que considera también los aspectos cualitativos: además de considerar cuántas letras debe poner para cada palabra también se interesa por cuáles deben ser esas letras.

Al ingresar a 1er grado, Luciano utiliza casi exclusivamente vocales. Por ejemplo: para escribir "mariposa" pone **AIOA**, utilizando letras de imprenta mayúsculas. La elección de este tipo de letra es muy generalizada entre los niños que todavía no han recibido una enseñanza escolar de la lecto-escritura. En cuanto al uso de las vocales, estudios comparativos han puesto de manifiesto que este dato aparece con mucha frecuencia en castellano (y demás lenguas romance) pero no en lenguas sajonas.

Interrumpiremos, momentáneamente, la historia de Luciano para transcribir un fragmento de una entrevista que tuve con una compañerita suya, Florencia, quien explicitó muy detalladamente el modo de producción de sus escrituras. Esta situación se registró a comienzos del año escolar y considero que puede resultar de utilidad para comprender mejor el pensamiento de Luciano. (*)

(*) **NOTA:** En todos los registros de entrevistas o situaciones de aula conservaremos el desempeño lingüístico original, es decir, el habla regional rioplatense. Transcribiremos sin ninguna marca especial las verbalizaciones y pondremos entre paréntesis las escrituras y gestos que hayan tenido lugar, como así también comentarios aclaratorios en los casos que estimemos necesario. Por otra parte, consideramos importante señalar que si bien estos diálogos fueron registrados en esta escuela, cuya población pertenece mayoritariamente a clase media alta, numerosos trabajos de investigación realizados en medios socio-económicos menos privilegiados de varios países han relevado innumerables conversaciones y opiniones similares a las aquí expuestas.

Entrevistador	Florencia
¿Sabés escribir tu nombre?	Sí. (Escribe **FLORENCIA**).
¿Qué otra cosa sabés escribir?	Mamá, papá...
¿A ver? escribilo...	(Escribe **MAMA** y **PAPA**).
¡Qué bien, Florencia! ¡Cuántas cosas sabés escribir... Mirá: ahora me gustaría que escribieras el nombre de un animal... "gato".	¿Gato? No... No sé. No sé cual es la "ga"...
¿No sabés cuál es la "ga"?	No. Yo no sé escribir.
¿Y podrás escribir "mariposa"?	¿Mariposa? Tampoco. Porque no sé la "ma"... (Hace un gesto de sorpresa y lanza una exclamación) ¡Ah! La "ma" es la de mamá, ¿no? Entonces la sé.
Si la sabés, seguro que podés escribir "mariposa"...	A ver... (sonriente escribe **M**). Ma, ri... (escribe **I**), po (escribe **O**), sa... (escribe **A**. Queda **MIOA**).
¡Qué bien, Flor! ¿Viste que ya sabés escribir mucho?	Sí. (Sonríe). Pero... ¿ahí *dice* "mariposa"? (enfatiza "dice"). ¿Así *se escribe* "mariposa"? (enfatiza "se escribe").
Bueno. Yo entiendo muy bien cómo vos pensaste para escribirlo... y pensaste muy bien... Además, esas letras son de "mariposa".	¿Querés que te diga cómo lo hice? Por ejemplo, yo digo "ri" y me viene el sonidito de la "i", (mueve su mano al lado de la oreja) entonces la pongo. Digo "po" y me viene el sonidito de la "o", (repite el gesto) entonces la pongo y digo "sa" y me viene el sonidito de la "a" (agita nuevamente los deditos al lado del oído) entonces la pongo... (se la ve muy entusiasmada). ¿Querés que escriba otra cosa?
Claro que sí... a ver... ¿Te animás a escribir "paloma"?	Pa... pa... (con cara de alegría) ¡Sí! La de papá... (escribe **P**), lo... (escribe **O**), ma... (escribe **A**) ¡Ya está! (Queda **POA**).
A ver... mostrame con tu dedito cómo dice...	Mirá: pa (señala la **P**), lo (señala la **O**), ma (señala la **A**). Quiero escribir más... Me encanta...
Bueno. Ya que escribiste "mariposa" y "paloma", ahora escribí "gato".	Bueno. Ga... (escribe **A**), to... (escribe **O**. Queda **AO**. Mira su escritura con una expresión de perplejidad y algo de disgusto).

¿Ya está?	No... (Se queda unos segundos mirando la hoja y finalmente dice): ¿Sabés qué? Ésta no te la puedo terminar...
¿Por qué?	Porque no me viene ningún otro sonidito... Mejor hagamos otra cosa. ¿Querés que te haga un dibujo?
Después... Ahora me gustaría que escribas "El gato toma leche".	¿El gato toma leche? (Sonríe). Bueno. Voy a tratar... El (escribe **E**), ga (escribe) **A**), to (escribe **O**), to (mira la **O** que acaba de poner y no escribe nada), ma (pone **A**), le (escribe **E**), che... (va a escribir pero se detiene. Mira preocupada la última letra: **E**). ¿Sabés que? Ésta tampoco te la puedo terminar...(queda **EAOAE**).
¿Por qué?	Porque otra... no...

Intentemos entender lo que Florencia hizo y dijo. Ella considera que cada sílaba emitida va a estar representada por una letra. Pero no una letra cualquiera, sino alguna cuyo "sonidito" tenga algo que ver con la sílaba en cuestión. La estrategia que usa Florencia consiste en utilizar siempre la vocal correspondiente (a excepción de las sílabas iniciales de "mariposa" y "paloma" en las que utiliza la letra de mamá —para ella la "ma"— y la de papá—para ella la "pa"—).

¿Qué otras ideas tiene Florencia acerca de cómo funciona el sistema de escritura? Ella piensa que hace falta una cantidad mínima de tres letras para que un texto esté completo, para que ahí "diga" algo. Por esta razón considera que no puede terminar de escribir "gato" que, de acuerdo con la hipótesis silábica, sólo debería llevar dos letras. Parece, pués, que hay otra hipótesis que, en algunos casos, (escritura de monosílabos o palabras bisílabas) entraría en contradicción con la escritura silábica.

Sin embargo, no acaban aquí las ideas originales de Florencia (decimos originales porque nadie se las enseñó, no porque sean únicas). Si revisamos la escritura de la oración veremos cómo ella evita cuidadosamente repetir letras, es decir, poner dos letras iguales seguidas: en primera instancia saltea la escritura de la **O** que correspondería a la primera sílaba de "toma" (tenía otra **O** correspondiente a la última de "gato") y, finalmente, admite con tono resignado que no puede terminar de escribir la operación ya que no le parece adecuado poner otra **E**.

Hemos escogido esta entrevista de Florencia porque pone de manifiesto, con mucha claridad, dos hipótesis ya conocidas a través de las investigaciones dirigidas por Ferreiro: la hipótesis de cantidad y la de variedad. (Ferreiro y Teberosky, 1979).

En el caso expuesto se trata de lo que Ferreiro ha llamado **"variedad intrafigural"**, esto es, la exigencia de *variar las letras en el interior de la escritura de una palabra*. Luciano, en otra entrevista, quiere escribir espontáneamente "manzana", y renuncia a su empresa cuando el resultado que obtiene es **AAA**, producción rápidamente descalificada por el mismo autor.

A este problema se va a agregar después la demanda de **"variedad interfigural"**, que consiste en exigir *escrituras diferentes para representar palabras distintas.* (Ferreiro, 1986, Cap. 1).

Retomemos la historia de Luciano quien, en el mes de marzo, trabajando en clase en un grupo con tres compañeros, protagoniza una situación que puede ilustrar este concepto de variedad interfigural.

En determinado momento de la actividad, él quiere escribir "gato" y pone **AO** (la **A** para la sílaba "ga" y la **O** para "to"). La maestra les pide que escriban "pato" y él vuelve a poner **AO**. Constata la igualdad de ambas escrituras y decide que algo anda mal. Dice: "No puede ser que se escriban igual...", se queda unos segundos mirando y finalmente borra la **O**. Con evidente desagrado coloca una **U** en ese lugar y comenta a la maestra: "Lo puse con **"u"**... ¿qué te parece?". La maestra la responde: "A mí "pato" con **"u"** me resulta raro, pero si a vos te parece..."

Luciano, que no estaba convencido de la solución que había propuesto, le contesta resignado: "No... no me parece". Inmediatamente borra la **U** y vuelve a colocar la **O**, con lo que el problema retorna. Se queda un buen rato mirando la hoja con cara de preocupación mientras sus compañeros escriben otra palabra sugerida por la maestra.

Súbitamente sus ojos se iluminan y grita: "¡Pato, dame tu tarjeta!". Este pedido se dirige a un compañero que se llama Patricio, cuyo sobrenombre es Pato. Cabe aclarar que todos tienen en la mesa una tarjeta con su nombre que utilizaron en una actividad anterior. Patricio entrega a Luciano su tarjeta donde decía **PATO** , y ¡oh, sorpresa! Luciano no copia toda la palabra: borra la **A** y en su lugar pone **q** (**P** invertida). La escritura resultante es qo . Con gran alegría comenta: "Ahora sí: gato (en **AO**) y pato (en **qo**)". Luego mira unos segundos su producción y agrega, con cara de circunstancias: "Y parece un nueve y un cero..." (el sentido completo del comentario podría ser: ahora que tuve una idea brillante —tomar la "pa" de Pato para diferenciar esa escritura de la de "gato"— el resultado son dos números...).

Luciano se debatió durante dos largos meses en este dilema. En muchas ocasiones las escrituras que producía para representar nombres diferentes resultaban iguales. Y su reacción era de enorme desagrado: "No puede ser... algo anda mal...".

Él tenía un problema. Había una contradicción flagrante entre dos hipótesis igualmente fuertes: la escritura silábica con vocales y la hipótesis de variedad (en este caso interfigural).

Conflictos de este tipo, *auténticos conflictos cognitivos,* no le permitían quedarse muy tranquilo con los logros obtenidos. Algo fallaba. Y Luciano intentó durante dos meses resolverlos, sin abandonar totalmente sus creencias. Pero las soluciones eran muy inestables.

Unas semanas después de la situación descripta anteriormente (escrituras de gato y pato) Luciano protagoniza la siguiente escena (se trata de una entrevista de evaluación).

Entrevistador	**Luciano**
¿Qué querés escribir?	Voy a poner Moria que es el nombre de mi perrita (escribe **OA**).
Mostrame cómo dice Moria...	Mo (señala la **O**) ria (señala la **A**).
A ver... escribí "pato".	(Escribe **AO**) ¡Ay! Me quedó... (mira las dos escrituras **OA** y **AO** y se tranquiliza) ¡Ah! no... está bien...
¿Qué pasó?	Nada (sonriente y aliviado). Creía que... pero no.
¿Qué creías?	Que me habían quedado iguales... pero no. Aquí (**OA**) está ésta (**O**) primero y ésta (**A**) después y aquí (**AO**) están al revés.
Ajá. decime, Luciano: ¿podés escribir "gato"?	(Radiante) ¡Sí! ¿Sabés con cuál se escribe "gato"? Con la ge de gato. Te la voy a hacer, mirá (escribe **G**). Ahora te la voy a hacer doble (la rellena **G**) ¿Ves? Así es... (muy orgulloso).
¡Qué bien, Luciano! Ahora escribí "gato".	(Mira la **G** y le agrega una **A**. Queda **GA**) ¡Ay, no! Me equivoqué (tacha **GA** y comienza a escribir abajo **AGO**). Ahora sí, ya está: gato. (Sonríe con satisfacción).

¿Qué pasó antes, Luciano? ¿Por qué tachaste esto (**GA**)?

Y... (vuelve a sonreír, esta vez con suficiencia) porque "gato" empieza con a... mirá: gaa... y termina con o... too. Entonces tiene que ser así: ésta en el medio (muestra **G** en **AGO**).

Ajá... a ver... mostrame señalando con tu dedito cómo dice "gato".

Sí. Así: ga (señala la **A**) to (señala la **G**) ¡Eh! Esperá... ga... (vuelve a señalar la **A**) to... (vuelve a señalar la **G**) No... está mal. No. No es así (toma el lápiz y escribe en el lado inferior de la hoja **AO**). Me equivoqué. Ahora sí: ga (señala la **A**) to (señala la **O**). Así es "gato".

Luciano, ¿te acordás qué habías escrito aquí? (señala **AO** en la parte superior de la hoja).

Sí, pato.

¿Y acá? (**AO** en la parte inferior).

Gat... (mira las dos escrituras). Ahora sí: soné. (Sonríe con tristeza).

¿Por qué?

Y... ¿no ves? (señala reiteradamente las dos producciones) iguales... gato, gato, dos veces iguales.

¿Y qué podrías hacer para resolver este problema?

(Mira con cara de resignación). Esto (hace un círculo alrededor de la escritura de "gato" y luego dos líneas cruzadas. Queda ⊗).

¿Qué es eso?

Es una forma de tachar... me la enseñó mi mamá.

OA

AO

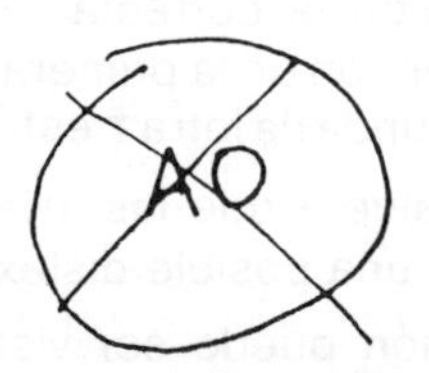

Analicemos la situación. Luciano no había quedado muy conforme con la solución intentada anteriormente para diferenciar las escrituras de "gato" y "pato". Es posible que la inversión de la **P**(q) haya traído aparejada una nueva complicación: la similitud gráfica con la escritura de números (el nueve y el cero que él comenta con escepticismo). De modo que, ni lerdo ni perezoso, acudió a los que saben para recabar información. Pero nuestro personaje está acostumbrado a pensar y no a copiar lo que no entiende, razón por la cual frente al fracaso de la escritura de "pato" va a investigar cómo escribir "gato" de una manera diferente. Ignoramos cuál fue la forma de su pregunta y cuál la respuesta concreta, ya que se trata de una búsqueda de información extra-escolar. Sabemos lo que él informa acerca del desconocido diálogo: "gato se escribe con la ge de gato y la ge de gato es ésta: **G** ". Y aquí aparece un dato que consideramos de fundamental importancia: cómo procesa Luciano esa información, qué hace con ella, en síntesis: cómo la asimila.

Él ya tenía una idea formada acerca del asunto: "gato" empieza con "a" (enfatiza el sonido de la "a" cuando emite la sílaba "ga") y termina con "o". Pero, de acuerdo con la información obtenida, también va con la ge de gato. Entonces: ¿dónde colocar esa exótica letra? La respuesta más inteligente sería: donde no moleste. Y, exactamente eso es lo que hace Luciano. La coloca en el medio, con lo que no debe modificar su hipótesis acerca del comienzo y el final de la escritura de "gato".

Lamentablemente, cuando intenta interpretar su escritura guiado por la hipótesis silábica, esta solución de compromiso se desmorona. Nuestro amigo retoma su idea anterior (gato se escribe **AO**) con lo que vuelve a caer en el conflicto inicial —idénticas escrituras para nombres diferentes (gato y pato)—, contradicción que no puede resolver sin modificar totalmente sus hipótesis, razón por la cual confiesa su fracaso anulando el elemento perturbador, esto es, tachando una de las escrituras.

Pero retomemos la escritura **AGO**. ¿Qué sucedería si analizáramos esta producción desde la perspectiva de la psicopedagogía tradicional? Comparando esa escritura con la correcta —**GATO**— lo habitual es que se interprete una inversión en la primera sílaba (**AG** en lugar de **GA**) y una omisión en la segunda (la letra **T** está ausente).

Recordemos que este enfoque considera que las inversiones y omisiones son claros indicadores de una posible dislexia.

Vemos así cómo una misma situación puede ser vista de dos maneras diferentes, casi antagónicas, en función del cristal con que se mire: algo que es considerado por la psicopedagogía clásica como un dato patológico es interpretado por la psicología genética como una estrategia normal en un intento de resolución de conflicto, es decir, como un paso insoslayable en la construcción de un conocimiento.

Continuemos con la historia de Luciano. En el mes de abril escribe de manera silábica usando exclusivamente vocales.

Durante el mes de mayo comienza a utilizar algunas consonantes, sin trascender las fronteras de su sistema silábico. Si revisamos su cuaderno en este mes encontramos escrituras como ésta: MIAU que, para sorpresa de un lector adulto no avisado, no es el maullido de un gato sino la manera en que nuestro aprendiz escribe: "Me fui al club":

(M I A U)
↓ ↓ ↓ ↓
me fui al club

respondiendo a la consigna establecida por la maestra para los días lunes: contar qué habían hecho el fin de semana.

El lunes 14 de mayo responde de esta manera:

El resto de las escrituras registradas en su cuaderno durante el mismo mes no incluyen consonantes:

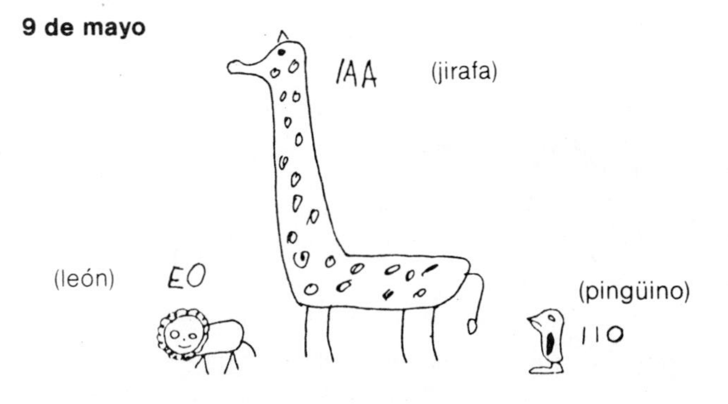

10 de mayo

(castillo)

Toda información es *siempre* procesada por el sujeto que la recibe, es interpretada en función de sus conocimientos previos, es reestructurada, resignificada. En la ilustración que sigue veremos un ejemplo rotundo de esta afirmación. Luciano continúa su exploración del sistema de escritura y, en el curso de tan loable empresa, ha preguntado reiteradamente "¿qué letra es ésta?" señalando alguna que aparecía en un cartel, en un envase, en un libro. Sus padres le respondían naturalmente.

De este modo ha averiguado que esta letra (K) es la "ca", que ésta (Q) es la "cu", que ésta (T) es la "te", etc. Los nombres de esas letras son asimilados de acuerdo con el esquema silábico que maneja Luciano y le resultan de gran utilidad para producir estas escrituras a comienzos del mes de junio:

KOA

(canoa)

QIA

(curita)

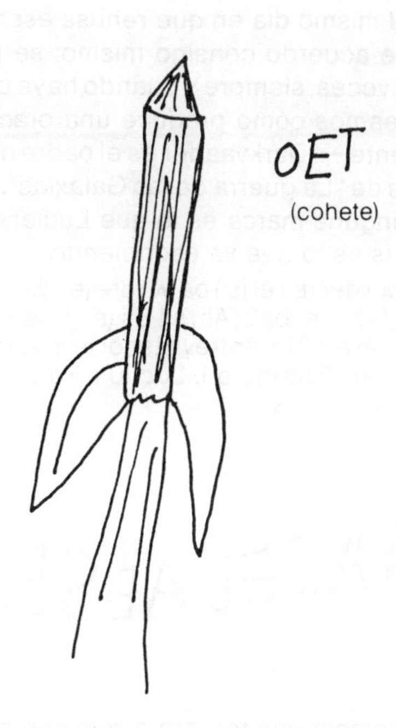

(cohete)

Como puede observarse, Luciano utiliza con gran sabiduría la letra K con valor sonoro **ca**, la Q como **cu** y la T como **te**.

Volvamos al mes de mayo a fin de analizar más pormenorizadamente otras situaciones en las que nuestro protagonista se debate en conflictos que no puede resolver fácilmente y que, en más de una ocasión, lo llevan a renunciar a algunas hipótesis en función del peso mayor de otras con las que entran en contradicción.

Vemos así que Luciano no manifiesta desagrado cuando escribe con dos letras las palabras bisílabas (la hipótesis silábica ha ganado la batalla, temporariamente, a la hipótesis de cantidad) aunque no parece muy tranquilo cuando pone una sola letra para los monosílabos.

Pero resulta más llamativa otra renuncia: el 10 de abril Luciano escribe **AA** cuando quiere poner "vaca" y **OO** para "zorro". ¿Qué pasó con la exigencia de variedad intrafigural manifestada anteriormente? Pareciera que esta exigencia reaparece una semana después (el 17 de abril Luciano rehusa escribir "leche" porque rechaza el resultado **EE**) para volver a esfumarse el 24 de abril en que vuelve a escribir **AA** para "vaca" y unos días después **OO** para "topo".

No obstante, el mismo día en que rehúsa escribir "leche", esboza una especie de acuerdo consigo mismo: se permite repetir una letra hasta dos veces, siempre y cuando haya otras distintas que la acompañen. Veamos cómo produce una oración que él propone espontáneamente —"Darkvaader es el padre de Luc"— referente a dos personajes de "La guerra de las Galaxias". Recordamos que lo que está sin ninguna marca es lo que Luciano dice y lo que está entre paréntesis es lo que va escribiendo:

— Dark (**A**) vaa (**A**) der (**E**) el (**L**) pa (**A**) dre (**E**) de... ¿Cuál es la de?... No me acuerdo... ¿Dónde iba? ¡Ah, sí! Es (**S**) el (**E**) pa (**A**) dre de... ¡otra vez la "de"!... ¿Cuál era? (el entrevistador le muestra tres consonantes y él reconoce la **D**. Escribe **D**). Luc (**U**). Ya está.

Esta es la escritura final:

AAEELAESEADU

Luciano evita colocar una tercera **E**, que hubiera correspondido al artículo "el" y, en ese caso, usa la consonante (**L**). Cuando se le pregunta por qué, si anteriormente renunció a escribir "leche" argumentando que dos iguales no podía ser, ahora coloca dos **A** y dos **E** seguidas en la oración, responde: "Si hay otras distintas se puede repetir una, pero si queda sólo la misma repetida, no".

No obstante, como vimos anteriormente, pocos días después transgrede esta norma. Está claro que la exigencia de variedad interna no ha desaparecido: se manifiesta posteriormente en reiteradas ocasiones. Lo más probable es que haya sido descuidada transitoriamente por no poder resolverla sin renunciar a la aplicación de la hipótesis silábica utilizando las vocales correspondientes. Como dijo una compañerita suya en otra oportunidad. "Yo *sé* que está mal, que *no puede ser*, pero me sale así...".

Cuando un niño tiene ideas diferentes que entran en contradicción no es inmediata la resolución del conflicto; muchas veces se dejan de lado ciertas cuestiones y se privilegian otras, hasta que el tiempo y el trabajo intelectual permitan efectuar las coordinaciones y reestructuraciones necesarias para avanzar en la conceptualización.

Hasta aquí hemos revisado algunos conflictos suscitados por la incompatibilidad de diferentes esquemas coexistentes: hipótesis silábica vs. hipótesis de cantidad, hipótesis silábica vs. exigencia de variedad intra e interfigurales. Debemos agregar aún las dificultades que enfrenta Luciano en estos primeros meses de su primer año escolar cuando trata de interpretar algunos textos de acuerdo con su hipótesis silábica.

En efecto: Luciano escribe correctamente su nombre cuando ingresa a 1er. grado pero desconoce las razones por las cuales esa escritura debe tener esas letras —y no otras— en ese orden —y no otro—. Es así como, en determinado momento, convencido de que cada letra escrita tiene el valor sonoro de una sílaba, intenta dar cuenta de las partes en cuestión. El resultado de estos intentos consiste en reiterados fracasos: cuando él "lee" **Lu** en la **L**, **cia** en la **U** y **no** en la **C** se enfrenta con dos problemas serios. El primero consiste en que sobran letras. ¿Por qué "Luciano" se escribe con siete letras si sus creencias le aseguran que debería llevar tres? El segundo no se refiere ya al aspecto cuantitativo sino al cualitativo: que la **L** sea "Lu" está bien, es aceptado por nuestro amigo, pero leer "cia" en la letra **U** y "no" en la **C** (ambas letras, **U** y **C** son conocidas por Luciano como "la u" y "la ce") es una transgresión demasiado flagrante para quien ya está considerando que las letras tienen un valor sonoro estable y convencional.

Esto es, pués, lo que sucede cada vez que intenta "leer" su nombre:

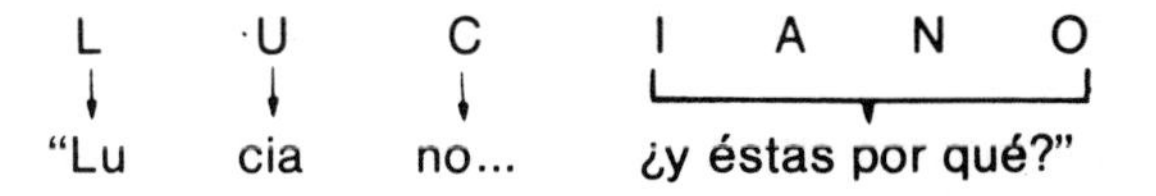

y se reitera cuando trata de interpretar otros modelos escritos que el medio le proporciona (los nombres de sus padres y hermanos, los de sus compañeros de clase, etcétera).

Vemos entonces cómo, a los conflictos originados por contradicciones *entre* hipótesis, se agregan los que surgen de la insuficiencia de *un* esquema para asimilar un dato de la realidad.

Son realmente sorprendentes los intentos que hacen los niños, antes de poder leer correctamente, cuando se proponen interpretar textos.

Ya vimos uno: dar cuenta de las partes de su nombre guiado por la hipótesis silábica.

Una situación diferente se le plantea a Luciano cuando se enfrenta con una tarjeta donde hay una imagen (un pato en el agua) y una oración escrita debajo (**EL PATO NADA**). Le preguntamos qué cree que dice ahí. Su primera respuesta, compartida por la mayoría de sus compañeros, es que, si ahí hay un pato acompañado por un texto, en esa escritura debe decir "pato". (Hipótesis del nombre. Ferreiro y Teberosky, 1979).

Le pedimos que nos muestre, señalando con su dedo, cómo dice "pato" en **EL PATO NADA**. En ese momento advierte que el texto empieza con **E** y dice: "¡Ah! No... no dice "pato". Dice "el pato". Aquí (**EL**) dice "el" y aquí (señala rápidamente **PATO NADA**)"pato"". Le pedimos que nos muestre más despacio cómo considera él que en esa parte del texto (**PATO NADA**) dice "pato". Luciano intenta un ajuste inteligente y "lee" de esta manera:

EL	PATO	NADA
↓	↓	↓
el	pa	to

Se queda mirando el texto con atención y luego objeta: "pero aquí (PAT**O**) tiene que haber una **a** y aquí (NAD**A**) una **o**". No puede negarse que Luciano piensa, y piensa bien: **pa** debería terminar con **a** y **to** debería terminar con **o**.

Esto sucede en el mes de abril, a un mes de comenzar las clases. A medida que avanza el año podemos apreciar cómo Luciano va avanzando en su aprendizaje. Su natural curiosidad, el clima de libertad y de auténtica estimulación intelectual imperante en el aula, el intercambio permanente de información con sus compañeros, y, sobre todo, la confianza que sus padres, su maestra y él mismo tienen con respecto a sus posibilidades y recursos, son factores que contribuyen a que sus conflictos cognitivos, verdadero motor del aprendizaje, puedan ir resolviéndose sin interferencias ni apremios externos.

Veamos qué hace Luciano a fines del mes de junio en una entrevista de evaluación.

Después de escribir su nombre, él propone escribir "dinosaurio" y su escritura resulta altamente familiar y previsible:

I	O	A	I	O
↓	↓	↓	↓	↓
di	no	sau	ri	o

Pero algo novedoso ocurre cuando se le pide que escriba "pelota". Transcribiremos parte de la entrevista.

Entrevistador	**Luciano**
Vamos a escribir nombres de juguetes. A ver... escribí "pelota".	Pe (escribe **P**), lo (escribe **O**), **t**... ¿Cuál es la **t**? ¿La te? Sí... (pone **T**) ta... (escribe **A**. Queda **POTA**. Está entusiasmado). ¿Ves? Así Pe (señala **P**) lo (señala **O**) ta...ta...ta... las dos (sonríe satisfecho y señala **TA**).
¡Qué bien, Luciano! ¡Cuánto aprendiste!... ¿Te animás a escribir "cubos"?	Cubos... çu... la cu... ¡la cu! (con enorme excitación escribe **Q**. Sonríe). ¿Cuál es la b? (no se escucha muy bien si el sonido corresponde a **b** o a **bu**).
¿No sabés?	No. Decime. ¿Cuál es la b? (mismo sonido de antes).
¿Te sirve si escribo "burro"?	¿Burro empieza con la b? (Piensa) Sí, sí.
(Escribe **BURRO**)	¡Ah! La b, la be... era la be larga (con cara de "quién lo hubiera dicho..." Escribe **B** al lado de la **Q**. Queda **QB**). ¿Estas dos forman la **bu**? (Señala **BU** en la palabra **BURRO** escrita por el entrevistador. No espera respuesta. Da la impresión de que sus preguntas son más bien reflexiones en voz alta. Continúa escribiendo. Agrega **RO**. Queda **QBRO**).
¿Ya está?	Sí.
¿Qué escribiste?	Burro... ¡eh! digo, cubo.
¿Cubo o burro?	No... cubo.
A ver... mostrame cómo dice "cubo".	Cu (señala **Q**) bo...b... (señala la **B**) ¿y ésta? (**R**). ¡Uy! (se ríe) ¡Qué lío!
¿Te confundiste con "burro"?	Sí, claro (sonríe).
¿Y "cubo", entonces, cómo se escribe?	Cubo va a ir igual pero sin rr... sin ésta (señala **R**).
A ver, escribilo.	(Pone **QBO**). ¿Así *se escribe* "cubo"?
Es muy parecido. Estás escribiendo mucho mejor que antes... Antes escribías bien pero...	(Interrumpe) Pero me faltaban muchas letras. Mirá. "Cóndor" lo escribía así (se ríe y pone **OO**. Inmediatamente lo tacha).
Y ahora, ¿cómo lo escribirías?	Y... con la c... (preocupado) ¿Cuál es la c? (sonido de **K**).

¿Te servirá la de "Camila"? (Camila es una compañera del salón).

¡Ah! Sí (escribe **C**) C... la con... la con... (se queda pensando) c... la con... la conn...

¿Es muy difícil?

Sí (con cara de renunciar a la empresa).

Bueno, no importa. Entonces escribí "moto"...

Mo (escribe **O**) t...(pone **T**)to (escribe **O**. Queda **OTO**) ¿Ahí *dice* moto?

Estas letras son de moto...

Pero *¿dice* moto?

Casi dice moto...

¿Cuál le falta?

¿Cuál será?

¿La t?

Ya la pusiste...

¿Llevará otra? No sé...

¿Vos que pensás?

(Con expresión de duda) No sé.

¿Te animás a escribir tren?

(Animoso) Sí. T... t... (escribe **T**) tre (escribe **E**) tre...n...n... ¿la "ene"? (pone **N**. Queda **TEN**).

¡Bien, Luciano! Estás aprendiendo mucho...

(Sonríe satisfecho).

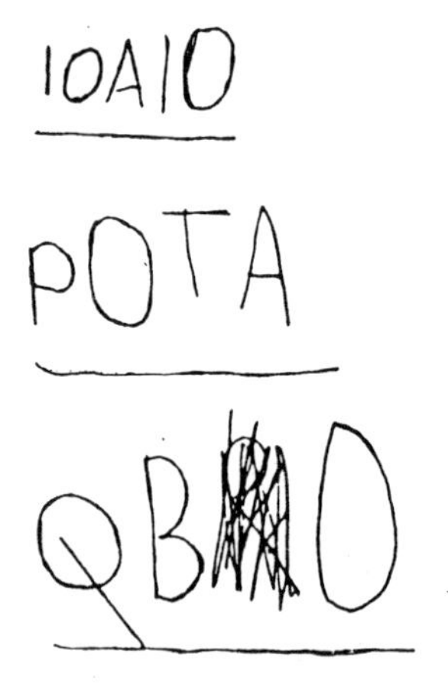

Vamos a interrumpir aquí la entrevista a fin de analizar esta parte.

Luciano ya produce escrituras silábico-alfabéticas: **QBO**, **POTA** son claros ejemplos correspondientes a este nuevo modo de construcción.

"El período silábico-alfabético marca la transición entre los esquemas previos en vías de ser abandonados y los esquemas futuros en vías de ser construidos". (Ferreiro, 1986, Cap. 1, pág. 16).

Me pareció sumamente interesante haber entrevistado a Luciano en ese momento de transición en que todavía recuerda, y es capaz de explicar, el modo de producción silábico que está abandonando. Es capaz de burlarse de sí mismo recordando que "cóndor" lo escribía **OO**, pero es todavía incapaz de escribirlo de manera alfabética.

A través de sus verbalizaciones podemos apreciar la coexistencia de las dos hipótesis: cuando dice "la c... la con, la c... la con" está claro que, para él, "la c" es una letra, pero "la con" está indicando que la sílaba inicial de la palabra cóndor es también concebida como si fuera una letra.

Vemos luego una solución de compromiso: "¿Estas dos forman "la bu"?, que traducido sería: la letra "bu", ¿se forma con dos?"

Remarcamos el interés de esta entrevista porque, más adelante, cuando el niño avanza en la construcción de su conocimiento sobre el sistema de escritura y comprende la naturaleza alfabética del mismo, le resulta muy difícil, cuando no imposible, recapturar un modo de pensamiento anterior que ya ha superado.

En cierta ocasión tuve la oportunidad de compartir una situación lúdica con una niña que ya escribía de manera alfabética sin instrucción escolar. Había aprendido a escribir mientras estaba cursando el preescolar sin que hubiera mediado enseñanza sistemática. La niña propuso jugar a la maestra desempeñando ella el rol docente. Veamos la situación.

Entrevistador	**Niña**
	¿Jugamos a la maestra? Yo soy la maestra y vos la alumna.
Bueno. ¿Qué hacemos?	Tome, niña (entrega una hoja a la entrevistadora). En esta hoja tenés que escribir.
(Toma la hoja) Señorita, ¿escribo "mariposa"?	Sí, muy bien, mariposa. Ma-ri-po-sa (remarca claramente las sílabas).
A ver... (comienza a silabear la palabra y va escribiendo) Ma (escribe **A**) ri (escribe **I**) po (escribe **O**) sa (escribe **A**). (La entrevistadora conocía la evolución de la niña y sabía que ella escribía así seis meses atrás). (Queda **AIOA**).	(Mira la escritura desconcertada) ¿Qué escribiste? Aioa... ¿Qué escribió, niña? Yo le dije "mariposa", ma-ri-posa, no aioa...

Y yo escribí mariposa. Mire, señorita: ma (señala **A**), ri (señala **I**), po (señala **O**), sa (señala **A**). ¿Vio? Mariposa.

No (disgustada) Ma-riposa, ma-riposa. ¿Cómo va a empezar con a? Empieza con la "m"... la de mamá.

¡Ah! Ya sé (escribe **MIOA**). Ahora sí.

¿A ver? (mira la escritura) ¿Ahora sí, qué? Mioa... mioa... Mal. Muy mal.

¿No me dijo que iba con la de "mamá"? Yo puse bien, mire (va señalando cada una de las cuatro letras mientras dice las sílabas de "mariposa").

(Fastidiada) No... no entendés. Está mal, mioa... mioa.
Mire, niña, mejor vamos a hacer así: déme la hoja, yo se la escribo y usted la copia igualito abajo (toma la hoja y escribe MARIPOSA). La copia igualito, igualito, ¿eh?

Estaba claro que la niña no entendía por qué yo escribía de esa manera. No hubo en ningún momento algún gesto que pusiera de manifiesto cierta comprensión de lo que estaba sucediendo.

Para ella eso *estaba mal* y no logró entablar un diálogo que tomara en cuenta los supuestos que guiaban la producción de su "alumna". De modo que recurrió al procedimiento utilizado por muchos docentes cuando enseñan: producir ella el modelo y proponer al alumno que lo copie. De ese modo estará garantizada la escritura correcta de la palabra. Lo que no está garantizado es que esa persona pueda escribir adecuadamente otra palabra diferente de "mariposa"...

Retomemos la entrevista con Luciano y analicemos la escritura de la palabra "tren". Podemos ver que logra arribar a un análisis más detallado de esta palabra que de otras más largas.

¿Por qué sucede esto? Hemos visto repetirse este fenómeno cuando otros niños que producían escrituras silábico-alfabéticas (o aun silábicas) intentaban escribir palabras monosilábicas. Un compañero de Luciano que escribía sistemáticamente de manera silábica y que, al igual que Luciano, conocía muchas letras, escribió en una oportunidad "conejo" de esta manera: **CEO**, la escritura correspondiente a "elefante" fue **ELFT**, pero cuando quiso escribir "pan" dijo: "pan" y escribió **P**. Miró preocupado su escritura, dijo "pa, paaa" y coloco **A** (quedaba **PA**). Volvió a mirar lo que había escrito e hizo un gesto de disgusto. Repitió nuevamente "pan, paa-n" y agrego **N**. El resultado final fue **PAN**.

Retomemos la pregunta: ¿por qué en las escrituras de los monosílabos varios niños que trabajan de manera silábica y usan letras con valor sonoro estable logran un análisis que llega, en ocasiones, a un trabajo alfabético, cosa que no sucede cuando se proponen escribir palabras más largas?

Podríamos argumentar que las palabras más cortas son más "fáciles" que las más largas. Éste es un principio básico que rige la enseñanza de la lecto-escritura desde la perspectiva de las didácticas tradicionales y que es compartido por el sentido común de las personas que no están involucradas en la acción educativa. Este principio sería válido si aprender a escribir consistiera en aprender a copiar y recordar las palabras copiadas. En efecto: es más fácil recordar una secuencia de tres letras que una de cinco o seis.

E. Ferreiro y A. Teberosky plantean que *escribir no es copiar:* "La distancia que media entre la escritura-copia y la escritura tal como el niño la entiende es tan grande como la que media entre el dibujo-copia y el dibujo tal como el niño lo entiende. Solamente a través del dibujo espontáneo fue posible descubrir que para el niño de cierta edad dibujar no es reproducir lo que se ve tal como se lo ve, sino nuestro saber acerca del objeto". (Op. cit. 1979, pág. 353).

De la misma manera, la escritura espontánea de los niños pone de manifiesto qué es lo que ellos piensan acerca del funcionamiento del sistema de escritura y permite constatar los conflictos que surgen así como las diferentes estrategias que los actores del aprendizaje ponen en juego para resolverlos.

Este enfoque arroja una luz diferente sobre la escritura del monosílabo.

Recordemos la contradicción que se plantea cuando un niño que ha llegado a vincular la escritura con la sonoridad de una manera silábica intenta escribir un monosílabo: la hipótesis silábica le indica que debe poner una sola letra pero la hipótesis de cantidad le exige poner por lo menos dos o, mejor aún, tres letras para que ahí diga algo. Se plantea entonces un auténtico conflicto cognitivo que inquieta al niño, que no le va a permitir quedarse muy tranquilo si no lo resuelve.

¿Es más fácil para este chico escribir "pan" que escribir "conejo" o "elefante"? Todo parece indicar que no.

El compañero de Luciano permaneció muy calmo y contento cuando terminó de escribir **CEO** (conejo) y **ELFT** (elefante), pero se inquietó cuando vio que su escritura de "pan" resultaba una sola letra. De modo que volvió a repetir la palabra varias veces a fin de identificar más "soniditos" (como decía Florencia) que le permitieran colocar más letras.

Podemos pensar, entonces, que no fue la facilidad de la tarea lo que le permitió llegar a un resultado más aproximado a la escritura correcta de la palabra "pan" (o "tren" en el caso de Luciano), sino *la aparición de un conflicto que tenía que ser resuelto.* Piaget (1978) señala que los progresos en la construcción del conocimiento se basan en los desequilibrios que los sujetos sienten como conflictos, ya que para superarlos se producen nuevas coordinaciones entre esquemas de acción, lo que permite superar las limitaciones de los conocimientos anteriores.

Nosotros tuvimos oportunidad de confirmar la veracidad de esta afirmación en nuestra experiencia escolar. Fueron los intentos de resolución de conflictos los que ayudaron a los niños a avanzar en su descubrimiento del sistema de escritura. Estos conflictos aparecían, en ocasiones, a partir de situaciones planteadas por la maestra y, en muchas oportunidades, de preguntas que los propios alumnos se formulaban.

Reencontremos a nuestro amigo Luciano en la entrevista de fines del mes de junio. Sus escrituras han cambiado y también es diferente la interpretación que hace de los textos que le mostramos acompañando determinadas imágenes.

A esta altura Luciano todavía no puede leer de un modo convencional, pero hace anticipaciones inteligentes coordinando la información que le brinda la imagen con algunos datos del texto que pasaron a ser significativos para él.

En todos los casos en que el texto es una palabra él anticipa, por lo general, el nombre del objeto de la ilustración.

Cuando se trata de una oración, Luciano ya toma en cuenta la longitud del texto y los espacios en blanco y no anticipa sólo el nombre (como había hecho anteriormente en **EL PATO NADA**, donde había "leído" pato) sino una oración.

Por ejemplo: le presentamos una tarjeta que tenía la imagen de tres perros recostados y el texto **PERRITOS**. Luciano considera que dice "perros". Después de mostrarle otras tarjetas, se le presenta una con la misma imagen pero con un texto diferente: **LOS PERRITOS DESCANSAN**. Luciano la mira y dice: "ya me la mostraste" (se fija en el texto y corrige) "¡Ah, no!... es otra. No puede ser "perros"... Debe decir "Los perros están descansando"".

Tal como podemos advertir, Luciano todavía no puede leer correctamente los textos, pero ya toma en consideración algunas características de los mismos para hacer predicciones inteligentes acerca del contenido.

Revisemos el cuaderno de nuestro amigo a comienzos del mes de julio, antes de las vacaciones de invierno.

El 2 de julio vemos coexistir en la misma hoja estas producciones:

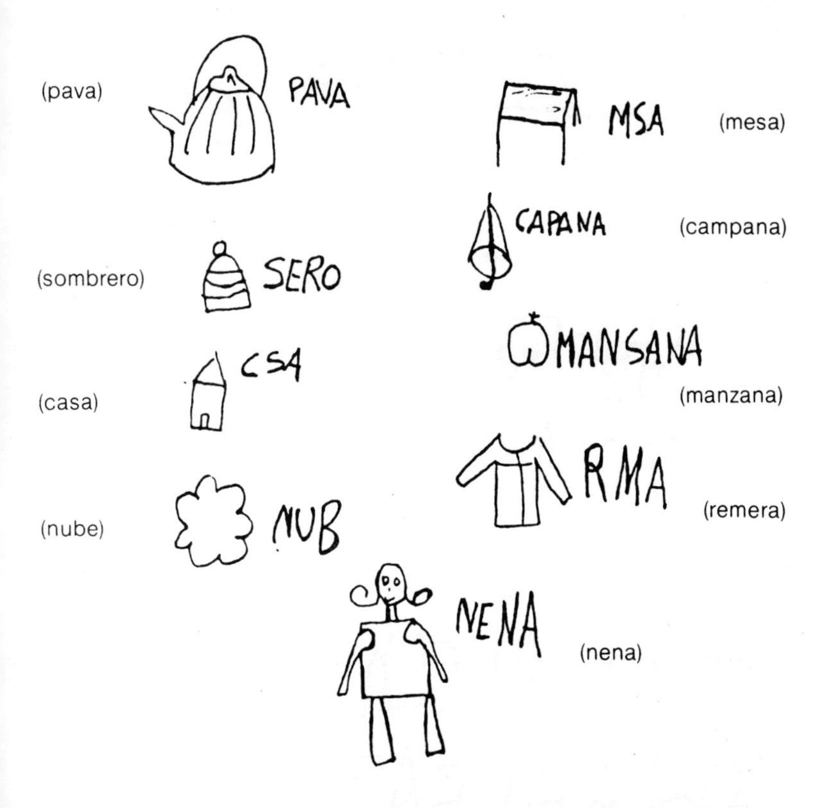

Como puede advertirse, algunas escrituras son alfabéticas (pava, campana —con omisión de la "m"—, manzana, nena) otras son silábico-alfabéticas

y una permanece silábica

(R M A)
↓ ↓ ↓
re-me-ra.

Las producciones de esa semana, anterior a las vacaciones de invierno, no registran mucha variación:

(camión)

(tren)

(bota)

(mariposa)

(elefante)

(pollito)

El lunes 23 de julio, al regresar de las vacaciones, escribe así:

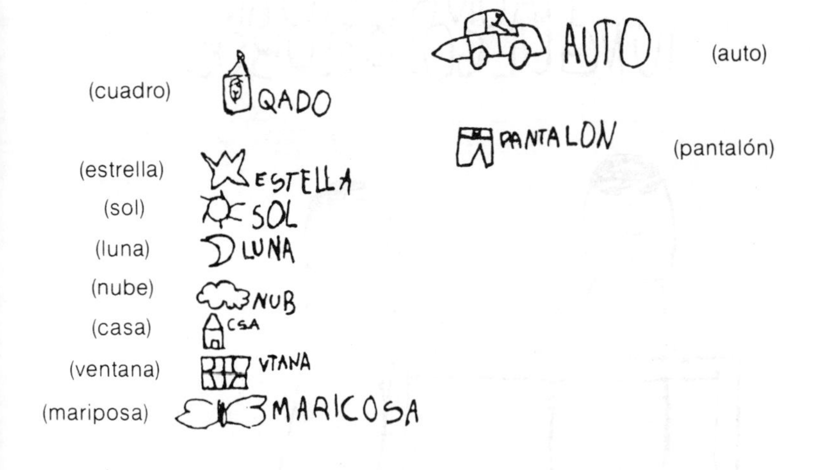

Su escritura tiende a ser más definidamente alfabética, aunque persisten algunas producciones silábico-alfabéticas (nube, casa, ventana).

Una semana después, el lunes 6 de agosto, Luciano describe cómo festejó el día del niño.

Comienza escribiendo "Fui a un restaurante" (**FIAUNRESTOAN**), como advierte que comenzó muy abajo en la hoja sigue dos renglones más arriba: "Me regalaron un reloj" (**MEREGALARONUNRE-LOG**). Continúa en el de abajo: "y la pistola sónica" (**ILAPITOLASONIC**).

Al llegar a este punto, advierte que le quedan dos renglones libres entre el título ("El fin de semana") y su escritura, de modo que escribe en el renglón superior: "y un auto a control remoto" (**IUAUTOACONTOREMOTO**), para terminar la larga lista de regalos en el renglón inferior: "y un juego de cubos" (**IUNGUEGOSDQUBOS**).

El texto total, casi inexpugnable, es el siguiente:

El fin de semana

IUAUTOACONTOREMOTO
MEREGALARONUNRELOG
ILAPITOLASONIC
FIAUNRESTOAN
IUNGUEGOSDQUBOS

En esta oportunidad Luciano no releyó su escritura, ya que se trató de un trabajo que cada niño hizo en su cuaderno de manera individual y la maestra no lo revisó con él por encontrarse trabajando con otros alumnos.

A lo largo del mes de agosto su escritura va tornándose cada vez más alfabética, incluyendo avances en el análisis de sílabas complejas:

Viernes 10:

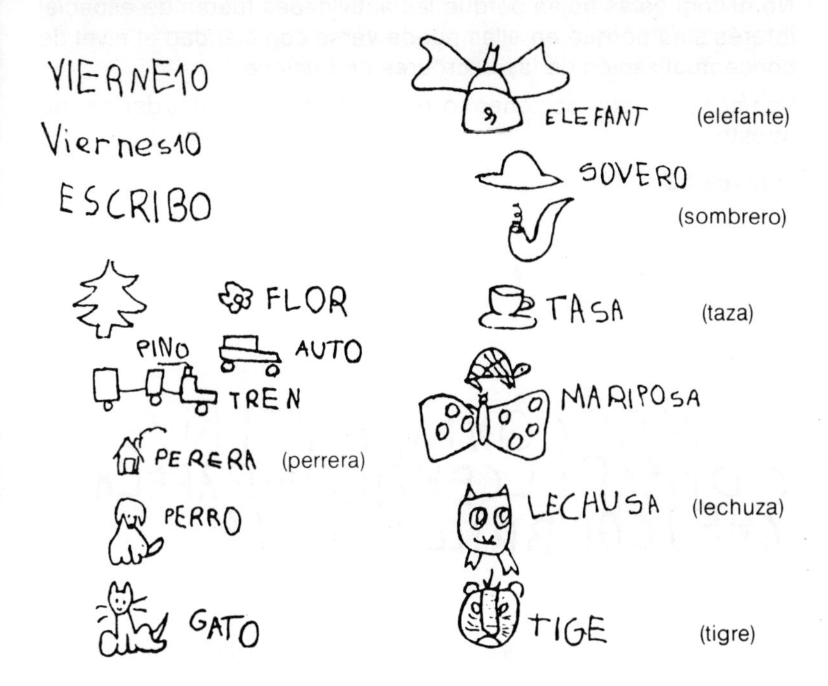

El cuaderno, por lo general, no da cuenta de muchas producciones correspondientes a actividades en que la escritura fue usada trasponiendo las situaciones lúdicas o los textos narrativos y descriptivos: piezas epistolares, mensajes, textos informativos, fueron confeccionados individualmente o por equipos en hojas sueltas que, en ocasiones fueron utilizadas para armar álbumes, periódicos, etcétera.

He elegido varias hojas del cuaderno de Luciano donde aparecen dibujos y la escritura del nombre del objeto que corresponden a situaciones diferentes. En algunos casos la maestra proponía los dibujos y los chicos ponían el nombre con el único propósito de confrontar las diversas producciones. En otras oportunidades se trataba de situaciones lúdicas propuestas por la maestra o por los chicos (por ejemplo: cada niño hacía un dibujo y lo ponía a consideración de los demás sin decir cuál era el objeto representado. Si la interpretación era lograda, todos lo copiaban y escribían el nombre).

No escogí estas hojas porque las actividades fueran de especial interés sino porque en ellas puede verse con claridad el nivel de conceptualización de las escrituras de Luciano.

Veamos otras producciones correspondientes a finales del mes de agosto.

Jueves 23:

Jueves 23

ISIMOSCONMARITITERES
CONPAPELCEPEICONPAPELAFI
CHEICONBRILLANTINA

(Hicimos con Mary títeres con papel crepé y con papel afiche y con brillantina)

El día 27 de agosto la maestra, a partir del examen de algunos materiales (libros, revistas, etc.) en los que los niños exploran los espacios entre las palabras, da la consigna de prestar especial atención a dejar un lugar blanco allí donde cada uno considere que termina una palabra. Y Luciano escribe esto:

FUI A NDAR EN CARTIN

(Fui a andar en carting)

Las hojas que le siguen corresponden al 28 y 29 de agosto. Se trata de situaciones en las que la maestra, o algún chico, escribía una oración en el pizarrón. Los demás debían leerla en silencio y dibujar lo que hubieran comprendido (los que no podían entender el texto consultaban con sus compañeros).

Exactamente un mes después que Luciano hiciera el inventario de los regalos del día del niño, vuelve a manejar los renglones con la misma libertad de aquella ocasión.

Esta vez quiere escribir algo alusivo a un dibujo que hizo. El texto propuesto por él es “El señor está paseando y la señora está cruzando”. Y el resultado es el siguiente:

Pero en esta oportunidad la maestra le pide que lea lo que escribió y Luciano advierte la confusión. Para subsanarla sugiere poner a los costados los números 1 y 2 a fin de orientar a un eventual lector.

En realidad la dificultad reside en que a nuestro amigo no le parece una buena idea eso de seguir en otra hoja un mismo tema cuando los renglones se acaban.

En ocasiones posteriores veremos que esta tendencia subsiste y Luciano termina muchos relatos allí donde la hoja se acaba.

En el mes de septiembre entrevistamos a Luciano por tercera vez en el año a fin de evaluar sus posibilidades en lecto-escritura.

Aparece sonriente y seguro. Toma el lápiz y pregunta si puede escribir en cursiva porque la imprenta ya lo tiene aburrido. Le comento que escribiremos nombres de comidas. Le dicto "empanadas" y él escribe: *enpnadas*, omitiendo la "a" en la sílaba "pa".

Transcribiremos parte de la entrevista.

Entrevistador	**Luciano**
¿Te resultó fácil escribir empanadas?	(Sonríe) Y...sí...es fácil.
Dejame pensar alguna difícil...	¡Ya sé! Salchichas.
¿Lo sabés escribir?	Sí (Escribe *slchichas*. Tiene dificultad para trazar las letras y lograr las uniones).
Luciano, te voy a pedir un favor, aunque te aburra un poco... ¿Podés escribir "salchichas" en imprenta? (el entrevistador quiere verificar si las omisiones se vinculan con la preocupación de Luciano por el trazado de las letras. Por esta razón decide dejar de lado esa dificultad suplementaria).	(Con cara condescendiente) Sí, lo escribo en imprenta si querés. (Escribe SALCHICHAS. Mira espontáneamente la escritura anterior). Yo ahí (señala *slchichas*) me equivoqué ¿ves? slchichas, slchichas, no puse la "a".
¡Qué bárbaro, Luciano! ¡Cuánto sabés!...	Es que yo lo fui pensando. Uno se va dando cuenta... En mi casa también me voy dando cuenta... (lo dice con convicción).
En tu casa seguís pensando ¿no? ¡Se nota!	Claro. (Mira la escritura de SALCHICHAS. Sonríe). Chas... Mirá lo que escribo (pone CHASCHAS). Leé lo que dice.
Chas-chas. ¿Es un paliza?	(Se ríe) Sí. Chas-chas.
A ver, Luciano. ¿Te animás a escribir "tortilla"?	Sí (escribe en cursiva: *torti*) Tortilla va con la "y griega", no? ¿O con la "doble ele"?
¿A vos con cuál te parece que va?	(Gesto de duda) Me parece que con la "y griega" (completa: *tortiyas*).
Ahora escribí "panqueques".	¡Uh! Esa es fácil (escribe en cursiva *panqueques*).
¡Eh! Ya sabés que va con qu...	(Sonriente) Y claro...
Ahora quiero que escribas "La tortilla se prepara con huevos". Pero quiero	

que pienses bien y donde te parece que termina cada palabra dejes un espacio.

Bueno. (Escribe *lat*) ¡Ay! No va junto. Lo pongo otra vez. (Escribe debajo *la tor tiya sepu* y se detiene). Ésta (señala la última **r**) parece una "u", ¿no? Esperá, la voy a arreglar (hace una rayita en la parte superior. Queda *sepa*. No le gusta y propone pintar la letra. Queda *sepra*). Ahora sí parece una erre. La tortilla se prepar...a (agrega una **a**), con (escribe *con*), huevo va con ve corta, ¿no?

Sí.

(Escribe *vuevo*) No me sale bien la ve corta... (la escritura completa es *la tor tiya sepracomvuevo*. Nótese que Luciano, cuando termina de arreglar la r que había puesto para la primera sílaba de "prepara", se confunde, considera que es la r de la última sílaba —ra— y coloca la **a**).

Luciano, te voy a pedir que ahora lo escribas en imprenta. ¿Puede ser?

Y... sí. Es más fácil... (escribe LA TORTIYA SEqREqARA CON VUEVO). Mirá, es igual. ¿Ves? (va señalando las palabras en las dos oraciones, la que está arriba en cursiva y debajo la producción en imprenta). la (*la*) y la (**LA**), tortilla (*tortiya*) y tortilla (**TORTIYA**), se prepara (mira la escritura en cursiva). ¡Eh! ¿qué hice? se pra... con... ¿Se pra? (sorprendido). Puse "se pra" (se ríe). Está mal. ¿A ver aquí? (mira la oración en imprenta). Aquí está bien: se prepara. La otra está mal.

Luciano

enpnadas

slchichas

SALCHICHAS

CHAS CHAS

tortiyas

ponqueques

lat
la tortija sepracomuero

LA TORTIYA SEQREQARACONYUEVO

A continuación se le muestra una serie de tarjetas con imágenes y textos. Los textos en cuestión eran: **TORTUGA, PARQUE, LOS NENES LAVAN EL AUTO, LA TORTUGA CAMINA DESPACIO.** Luciano los lee con gran alegría. En todos los casos mira la tarjeta unos segundos y después dice la palabra o la oración sin titubeos. Cuando el entrevistador hace un comentario admirativo sobre su lectura él comenta con orgullo: "Es que ahora ya no leo más como antes. Antes yo leía tor-tu-ga. Ahora ya no. ¿Ves? Tortuga, así". Una compañera de Luciano, que había atravesado como él un breve período en el cual silabeaba, descifrando los textos, también estaba muy satisfecha porque podía leer con mayor fluidez. Muy sonriente nos explicó la diferencia: "Es que ahora yo leo en silencio, ¿ves? Me fijo y después lo digo".

En el transcurso de la misma entrevista de evaluación sucedió algo que nos parece interesante transcribir ya que pone de manifiesto el nivel de reflexión lingüística a que puede llegar un niño de 1er grado cuando se le brindan condiciones propicias para pensar.

El entrevistador transcribe en cursiva una oración escrita en imprenta en una de las tarjetas (**LOS NENES LAVAN EL AUTO**). Luciano aduce no poder leer en cursiva, pese a lo cual logra identificar correctamente cada una de las palabras de la oración.

Entrevistador	**Luciano**
Fijate bien. Si yo quiero que diga "Los nenes lavan el camión", ¿qué tengo que hacer?	Y (sonríe) sacás ésta (señala **auto**) y ponés camión.
¡Bien! Y si quiero que diga "Los señores lavan el auto", ¿cuáles sirven?	Todas menos ésta (señala **nenes**). Sacás ésta y ponés "señores".
¡Claro que sí! Muy bien, Luciano... ¿y si quiero que diga "el señor lava el auto"?	Tenés que cambiar ésta (**Los**) y ésta (**nenes**). Ponés acá (**los**) "el" y acá, en

	lugar de nenes (**nenes**) "señor". Las otras las dejás como están.
A ver... hacelo.	(Escribe en imprenta: **EL** debajo de **los**, **SEÑOR** debajo de **nenes**, y copia el resto. El resultado final es: **EL SEÑOR LAVAN EL AUTO**).
¿Y cómo dice ahora?	El señor lava el auto...
A ver... ésta (**los**) la cambiaste y pusiste "él"...	Sí...
Y sacaste "nenes" y pusiste "señor"...	Sí...
Antes decía "los nenes lavan el auto" (va señalando las palabras en la oración).	Claro. Y ahora dice. El (señala **EL**) señor (señala **SEÑOR**) lava (señala **LAVAN**) ¡Uy! (se ríe) El señor lavan el auto... No, ésta (**LAVAN**) también había que cambiarla. Había que cambiar tres, no dos...
(Sonríe) Claro.	(Muy sonriente y entusiasmado). Ahora yo te voy a escribir una cosa rara, bien rara. Mirá (escribe *los*), "los señoras" (escribe **SEÑORAS**). Atención, ¿eh? "los señoras lavan" (escribe **LAVAN**) "los"... otra cosa rara te voy a hacer... no voy a poner la "s", ¿eh? no "los", "lo" (pone **LO**), auto ¡atención! no pongo la "u" ¿eh? pongo "ato", no "auto" (escribe **ATO**. La escritura resultante es: **LOS SEÑORAS LAVAN LO ATO**). Mirá cuántas cosas raras: "los señoras" y "los auto" pero "los" sin "s" y "auto" sin "u": lo ato.

EL SEÑOR LAVA EL AUTO
los SEÑORAS LAVAN LO ATO

A esta altura de la entrevista, yo escuchaba a Luciano con enorme interés: un niño de seis años me estaba explicando que había descubierto dos categorías distintas de "cosas raras", de cosas que estaban mal.

Una categoría corresponde a palabras bien escritas pero cuya unión conduce a resultados agramaticales: "los señoras" donde un artículo masculino precede a un sustantivo femenino y "los auto" donde usa un artículo plural y un sustantivo en singular.

Pero, en este segundo caso, Luciano juega a agregarle una "cosa rara" de otra categoría: omite voluntariamente letras, de modo que la escritura de cada palabra queda modificada, cada palabra queda mal escrita.

Consideramos que el trabajo intelectual realizado por nuestro personaje es digno de mención, pero tan importante como el ejercicio es el placer que experimenta con su juego, el placer de pensar, de descubrir, de inventar, en suma: de aprender.

Luciano, a esta altura del año, ya puede leer sin dificultad textos cortos y escribe guiado por la hipótesis alfabética.

¿Cómo llegó a este punto? Luciano lo explica claramente en la entrevista: "Es que yo lo fui pensando. Uno se va dando cuenta... En mi casa también me voy dando cuenta..." Nos parece interesantísimo este comentario, ya que pone de manifiesto dos características esenciales en la construcción del conocimiento: quién es el verdadero *actor* (*yo* lo fui pensando) y la idea de *proceso* (no dice *lo pensé,* uno *se da cuenta* sino lo *fui pensando,* uno *se va dando cuenta*).

Su comentario incluye también otro dato que debe ser escuchado atentamente por la escuela y los maestros a fin de considerar con mayor precisión los alcances y posibilidades de la acción educativa sistemática.

Luciano no aprende solamente en las horas que asiste a la escuela: en su casa también se va dando cuenta, más allá del ámbito escolar.

No podemos desconocer todo lo que aprende un niño fuera de la escuela, la enorme cantidad de conocimientos que construye a lo largo de todo el día, interactuando con el mundo que lo rodea. Sin embargo, hay una tendencia muy generalizada que consiste en aceptar esta afirmación para otros dominios del conocimiento pero reservar para la escuela el patrimonio de enseñar a leer y escribir en base a ejercitaciones y repeticiones adecuadas. La colaboración que se espera del medio extra-escolar es que el niño reitere esas ejercitaciones en su casa.

Nosotros consideramos, y Luciano lo verbaliza con enorme sabiduría, que un niño no espera el permiso ni el ejercicio para aprender. Esto no implica, de ninguna manera, minimizar la importancia de la escuela. Muy por el contrario, consideramos que la actitud de la institución escolar y del docente es de fundamental importancia ya que puede estimular al niño para que investigue y aprenda o bien bloquear su creatividad obturando sus potencialidades intelectuales.

Decíamos anteriormente que Luciano, entre agosto y septiembre, produce escrituras alfabéticas. ¿Qué significa esto? Revisemos uno de sus trabajos de esa época.

El 17 de agosto se conmemora la muerte del Gral. San Martín. Decidimos investigar qué idea tenían sobre el prócer antes de que la maestra encarase el tema, razón por la cual les pedimos que pusieran en una hoja todo lo que supieran, imaginasen o les hubieran contado.

La consigna fue amplia: podían escribir, dibujar o bien escribir y dibujar.

Luciano comienza a escribir y, en determinado momento, se pone de pie, se acerca a la maestra y le dice: "San Martín murió en 1820, entonces, ¿cúando existió?". La maestra le contesta con otra pregunta: "¿A vos que te parece, cúando habrá existido?". Luciano piensa unos segundos y, finalmente, responde: "Y... si murió en 1820 seguro que en 1810 existía..." Acto seguido regresa a su asiento y continúa su tarea. Cuando suena el timbre del recreo no quiere salir y se queja porque todavía no terminó. Toma unos minutos del recreo para completar su trabajo y se lo muestra muy satisfecho a la maestra. El texto es él siguiente:

SAR MANTIN QUSOLO SANDES
FUEALAGERA ERAMILITAR SEMURIO1820
IESITIO1810 LUCHO CON LOS ITALIANOS
LUCHOPORNOSOTOS

(San Martín cruzó los Andes. Fue a la guerra. Era militar. Se murió en 1820 y existió en 1810. Luchó con los italianos. Luchó por nosotros).

Como podemos observar, la escritura de Luciano es muy diferente a la "traducción" que figura entre paréntesis. Justamente ésa es la diferencia que media entre la producción de un niño que trabaja guiado por la hipótesis alfabética y la escritura correspondiente a un momento terminal del proceso.

Luciano, como todos los niños que se encuentran en ese nivel de conceptualización, cree que la escritura es la representación de los sonidos del habla. El avanzó con respecto al período anterior en el que consideraba que cada letra debía representar una sílaba. Ahora piensa que las palabras pueden descomponerse en fonemas y que a cada fonema le corresponde una letra del alfabeto.

Si la escritura fuese realmente la representación de los sonidos del habla, nuestro amigo ya estaría escribiendo muy bien. Pero examinando el texto sobre San Martín —que haría estremecer a los historiadores— vemos que esto no es así.

Comparemos la escritura de Luciano con la traducción que la acompaña. En esta última hay 25 espacios, en el original vemos sólo seis. La palabra "guerra" es escrita de esta manera: **GERA**, que para nosotros implica una pronunciación diferente. No obstante, nuestro aprendiz no está escribiendo algo disparatado. La letra G suena suave en la palabra "gato" y la R suena fuerte en "rosa", de modo que es coherente que él lea "guerra" en GERA, ya que su hipótesis le indica que a cada fonema le va a corresponder una letra.

De todos modos, Luciano ya ha avanzado sobre esta hipótesis. Ya sabe que hay grafemas dobles (CH ; LL) y grafemas equivalentes (LL-Y; S-Z-C; V-B en el habla regional rioplatense).

Pero todavía ignora que hay grafemas polivalentes, es decir, aquéllos que, según su posición en la secuencia escrita, refieren a más de un fonema (en castellano la C en "casa" o en "cinta"; la G en "gato" o en "gitana"; la R en "rosa" o en "cara").

Deberá aún comprender que nuestro sistema de escritura no es un código de transcripción de sonidos sino un intento de representación del lenguaje (Ferreiro, 1986, Cap. 1), que incluye una cantidad de elementos que exceden la representación de los significantes; las mayúsculas, los signos de puntuación, los espacios entre las palabras, los elementos diacríticos (como la H en "hola" y "ola", "huso" y "uso", etc., el acento en palabras como "té"-"te", "él"-"el", "más"-"más", "sólo"-"sólo", que indican una diferencia de significado con significantes sonoros idénticos), son algunos ejemplos.

De manera que Luciano enfrenta ahora una nueva problemática que trasciende su hipótesis alfabética: el trabajo ortográfico. Deberá proceder a una serie de incorporaciones que no implican un mero agregado, sino una nueva re-conceptualización del sistema de escritura que, como toda reconstrucción cognitiva, llevará su tiempo.

Veamos algunos de estos datos en el cuaderno de Luciano, correspondientes a los dos últimos meses de clase.

17 de octubre

LE NENE PESCA
UN PESCADO Y DESPU
ESSELOVA ACOMER
CONVINOY CONSIRUE
LAS

(El nene pesca un pescado y después se lo va a comer con vino y con ciruelas.)

(El conejo atrapaba una mariposa. Contento el conejo y feliz. va a su casa y la pone de adorno.)

19 de octubre

el nene setapa los ojos y esta
contento jugandoalas escondidas
esta no esta no esta noesta

(El nene se tapa los ojos y está contento jugando a las escondidas. ¿Está? No está, no está, no está.)

29 de octubre

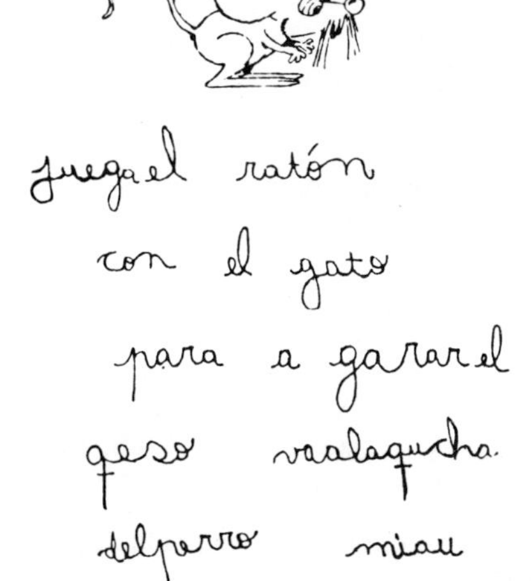

(Juega el ratón con el gato. Para agarrar el queso va a la cucha del perro. ¡Miau!)

12 de noviembre

queres ir apasiar en
auto

(¿Querés ir a pasear en auto?)

14 de noviembre

(La nena toca su tambor contenta y feliz y alegre.)

20 de noviembre

Un dia un señor encon
tro en un nido
algo como un huevo
recuvierto de pelusa. Lo toco
y empezo a crear.

(Un día un señor encontró en un nido algo como un huevo recubierto de pelusa. Lo tocó y empezó a crecer.)

21 de noviembre

el señor pesco un pez
y gualito al lotro

(El señor pescó un pez igualito al otro.)

25 de noviembre

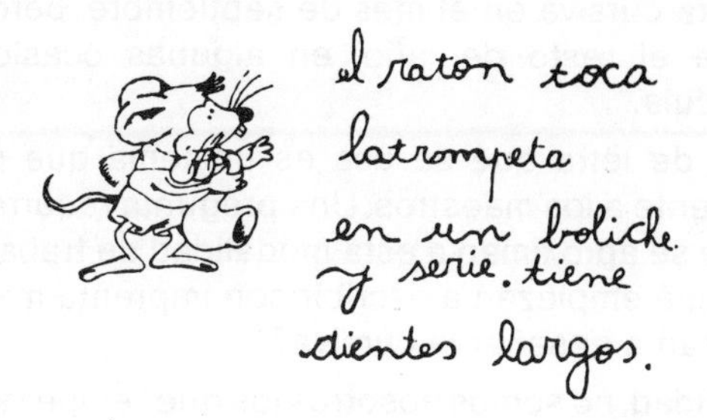

(El ratón toca la trompeta en un boliche y se ríe. Tiene dientes largos.)

En la escritura del 17 de octubre, Luciano intenta aplicar una regla que habían comentado en grupo, referente a la similitud ortográfica de palabras que pertenecen a la misma familia: si "pez" va con zeta, "pescado" y "pescar" deberían ir con zeta. La regla no es aplicable en este caso, de modo que Luciano tendrá que renunciar (y no será la primera ni la última vez) a sus expectativas de que la escritura tenga una racionalidad acorde con la suya. Considerando la producción del 21 de noviembre, esa situación se presenta aparentemente resuelta. Esto, como sabemos, no significa que lo esté de una vez y para siempre.

Si nos guiamos por las fechas, vemos que Luciano progresa en la separación entre palabras, un tema nada sencillo. De todas maneras, él hace sus intentos, que resultan, en algunos casos, exóticos para los ojos adultos.

La producción del 20 de noviembre corresponde a un trabajo realizado en equipo que consistió en la lectura de un cuento y la escritura posterior del relato. El texto fue producido entre varios y comentado con la maestra. En esa escritura aparecen puntos y mayúsculas, pero está claro que esa última normativa no fue asimilada por nuestro amigo, ya que sus producciones espontáneas posteriores no ostentan ese dato.

No obstante, el 25 de noviembre Luciano utiliza puntos para indicar el final de las oraciones. Es el primer intento que registramos de utilizar signos de puntuación (otros compañeros de su clase ya habían incorporado el uso ocasional del punto y signos de interrogación y admiración a esa altura del año). Cabe aclarar que la maestra no había dado información sistemática sobre este particular, pero el tema se había comentado en varias oportunidades.

En cuanto al tipo de letra, Luciano había comenzado a explorar la escritura cursiva en el mes de septiembre, pero siguió utilizando durante el resto del año, en algunas ocasiones, la imprenta mayúscula.

El tipo de letra que se usa es un tema que parece preocupar seriamente a los maestros. Una pregunta recurrente de los docentes que se aproximan a esta modalidad de trabajo pedagógico es: "¿Por qué empiezan a escribir con imprenta mayúscula y cuándo empiezan a enseñar la cursiva?"

En realidad, no somos nosotros los que "empezamos con imprenta mayúscula" sino los niños. Por otra parte, tampoco procedemos a "enseñar" la cursiva en determinado momento.

Cuando realizamos la evaluación inicial, *todos* los niños, menos dos que habían cursado primer grado en otras escuelas y no habían sido promovidos a segundo, escribían con ese tipo de letra. Sus niveles de conceptualización eran diferentes, como consta en el Capítulo I, pero todos compartían la preferencia por la imprenta mayúscula y conocían su trazado. Tal preferencia puede deberse a que este tipo de letra tiene ventajas perceptuales (formas más claramente diferenciadas) y motrices (el trazado es más fácil y admite pequeñas variaciones sin que lo central de la letra se altere).

Como consideramos que todos los conocimientos de los niños deben entrar junto con ellos a la escuela, tomamos la decisión de que continuaran su exploración del sistema de escritura a partir del punto en que estaba cada uno. Había una cantidad importante de niños cuyo conocimiento de las letras excedía, con mucho, el mero trazado de sus formas: a excepción de dos, todos los demás utilizaban las letras (en su totalidad o algunas de ellas) adjudicándoles un valor sonoro convencional en escrituras que abarcaban desde conceptualizaciones silábicas iniciales hasta alfabéticas. No encontramos ninguna razón valedera para desaprovechar ese conocimiento y tomamos la decisión de que el pasaje al uso de la letra cursiva se encararía, en cada caso, cuando la escritura alfabética estuviera afianzada.

Algunos no terminaron el año escribiendo en cursiva, pero lo hicieron en el curso del año siguiente.

De todos modos, no considero que ésta sea una cuestión relevante. Cuando una persona comprende los fundamentos básicos del sistema de escritura, está en condiciones de trabajar con cualquier tipo de letra. Nuestros alumnos, algunos a partir de primer grado y otros de segundo, pudieron escribir cómodámente en ambos tipos de letra, aunque el trazado más complejo de la letra cursiva, por demandar un control motriz más riguroso, pueda ocasionar algunas dificultades pasajeras (como vimos en la entrevista con Luciano).

Los niños deben poder dominar *ambos* tipos de escritura para utilizar uno u otro según lo demande la situación. Los adultos lo sabemos: por lo general escribimos carteles en imprenta y usamos la cursiva en otras oportunidades.

Si la escuela pudiera controlar su ansiedad y disminuir la enorme carga de expectativas depositadas en el primer grado escolar, este logro se daría naturalmente, sin sufrimientos inútiles.

En nuestra experiencia no realizamos ejercitaciones caligráficas. Los niños aprendieron a escribir escribiendo y el requisito básico demandado a su letra era la legibilidad. Todos los chicos aceptaron esta exigencia porque la consideraron razonable: no se les pedía que su letra fuera hermosa, pero su mensaje debía ser comprendido sin ambigüedades.

Cuando terminan las clases entrevistamos a Luciano por cuarta y última vez en el año. Como estas evaluaciones fueron filmadas en video, tuve oportunidad de volver a verlas antes de escribir este trabajo. El protagonista de esta historia ha crecido durante el año: se lo ve más grande físicamente y este aumento de su tamaño ha sido acompañado por un incremento en su aplomo. Aparece sonriente, seguro y entusiasmado, encarando nuestra reunión con alegría.

Entrevistador	**Luciano**
Escribí tu nombre, por favor.	¿En cursiva y en imprenta lo pongo?
Bueno.	(Escribe en la parte superior de la hoja: *Luciano*: LUCIANO).
Hoy vamos a escribir nombres de ropas, de cosas para ponerse. A ver... escribí "camisa".	(Escribe: *camisa* rápidamente, sin dificultad en el trazado de la cursiva).
¡Muy bien! ¡Qué bien te sale la cursiva!... Ahora escribí "gorro".	(Escribe: *go*). Va con doble erre (completa: *gorro*).
¿Cómo sabés que va con doble erre?	Se me ocurrió (sonríe).
¿Por qué?	Porque gorr - rr-o, gorr-rro.

Si lo pusieras con una sola, ¿cómo diría?

Go-rr-o, go-rru-o (no pronuncia la r con el sonido suave, sino con el sonido fuerte pero un poco adulterado. Lo que se escucha es parecido al sonido de la r en inglés. Sonríe). No, no me sale...

Pero, ¿estás seguro que va con dos erres?

Sí, seguro.

Bueno. Escribí "zapatilla".

(Escribe *sapati* y se detiene). Va con doble ele ¿no? (No espera respuesta y completa *sapatilla*).

Ahora escribí "vestido".

(Escribe *be* y se detiene) ¿Va con zeta?

¿A vos qué te parece?

Que sí.

Bueno, ponelo como a vos te parezca.

(Completa su escritura.Queda *bez tido*).

¿Por qué te parece que "vestido" va con zeta?

Vesss...porque suena con zeta...es distinto... (Él pronuncia "ves", no hace el sonido de la zeta castellana).

¿Y zapatilla te suena con "ese"?

Sí. Sssapatilla.

¿Y zapato?

¡Uy! ¡qué hice!... Zapatilla va con zeta.

¿Por qué?

Porque sssapatilla...

¿Sí?

(Pone una carita especial como si comprendiera que decir "sssapatilla" no alcanza como explicación) ¡Ah! Beatriz nos dijo que va con zeta.

¿Beatriz les dijo?

Sí (en realidad Beatriz, la maestra, les había dicho que "zapato" se escribía con zeta en respuesta a una pregunta de un alumno).

¿Querés corregirlo?

Sí (modifica la *s* de *sapatilla* convirtiéndola en *z* y escribe *zapap*. Se detiene) ¡Uy! Iba a escribir "zapapo" (prolonga el palo de la *p* hacia arriba y queda *zapato*).

Ahora escribí "blusa".

¿Va con ve corta?

Ponelo como a vos te parezca. Si querés yo después te digo cómo va, pero ahora quiero ver qué te parece a vos, cómo pensás que va...

(Escribe *vlusa*).

A ver... ahora "chalequito".

(Escribe *chalequito*) Me quedó un poco corta... Pero alcanza, está bien.

¿Qué te quedó corta?

La "te".

Bien, Luciano. ¿Vos sabías que iba con qu?

Claro... Con ce sería chalecuito (gesto divertido).

(Se ríe) Claro... si ponés la u...

Sí.

Ahora escuchá bien lo que quiero que escribas: "La señora compró un juguete para su hijo".

(Se ríe). ¿La señora compró un juguete para su hijo? ¿Todo eso?

Sí.

Entonces lo pongo en imprenta...

Pero quiero que pienses bien y donde vos creas que termina cada palabra dejes un espacio.

Bueno. (Escribe **LA SEÑORA COMPROUN**) Mirá: voy a poner un puntito porque me olvidé de dejar el espacio (coloca un puntito entre **COMPRO** y **UN**. Agrega **JUGETEPARA**) ¡Ay! Otra vez me olvidé. Te pongo otro puntito para que te des cuenta... (coloca otro puntito entre **JUGETE** y **PARA**. Continúa escribiendo **SU IJO**. La oración completa queda así: **LA SEÑORA COMPRO. UN JUGETE.PARA SU IJO**) Ya está. Ahora está bien.

Bravo... Mirá, Luciano, lo que voy a escribir yo (escribe en cursiva **caro**) ¿qué puse?

A ver... caro.

(Sonríe) ¡Bien! Ya leés en cursiva.

(Sonríe) Y... sí.

Fijate ahora (escribe **carro**).

Carro.

Sí. Me quedé pensando que cuando vos escribiste "gorro" lo pusiste con dos erres. Si lo pongo así (escribe **goro**), ¿qué dice?

Goro (sonríe). Ahora sí me salió. Antes no me salía... (se lo ve muy satisfecho). Con dos erres es "gorro" y con una es "goro".

¿Cómo escribe Luciano al término del año?

El trazado de la cursiva ha mejorado sensiblemente: escribe con rapidez y logra las formas y las uniones entre las letras sin mayor dificultad, a pesar de lo cual todavía parece sentirse más cómodo escribiendo en imprenta mayúscula: cuando se le propone escribir un texto más largo él elige ese tipo de letra.

Dejando de lado los aspectos correspondientes a sus habilidades motrices, veamos qué sucede con lo que Ferreiro ha denominado aspectos constructivos del proceso, es decir, aquéllos que se vinculan con las conceptualizaciones que los niños van formulando acerca del sistema de escritura.

Encontramos a Luciano muy preocupado por cuestiones ortográficas: en casi todas las escrituras de palabras aparecen comentarios o preguntas al respecto (¿va con doble ele?, ¿va con zeta?, ¿va con ve corta?).

En la escritura de "zapatilla" aparece un dato muy interesante. En primera instancia comienza la palabra con **s**, pero cuando se lo remite a la palabra "zapato", Luciano decide que se equivocó y la corrige, sustituyendo la **s** por **z** mientras argumenta que la maestra había dicho que así se escribía "zapatilla".

En realidad el comentario de la maestra se refería a la palabra "zapato" y él fue capaz de inferir una vinculación ortográfica a partir de la relación semántica entre ambas palabras.

Lo que aparentemente no pudo fue tomar conciencia de su propia posibilidad cognoscitiva, razón por la cual fundamenta su decisión con un argumento que no es real: "la maestra lo dijo". Desde la teoría piagetiana conocemos muy bien la distancia que media entre poder hacer algo y tomar conciencia acerca de lo que efectivamente se está haciendo. (J. Piaget, 1976).

Luciano LUCIANO

camisa gorro

zapatilla beztido

Zapato vlusa

Chalequito

LA SEÑORA COMPRO.UN JUGETE.PARA SU
IJO

¿Qué sucede con las posibilidades lectoras de nuestro personaje al final de su primer año escolar?

Le presentamos varias tarjetas con palabras y oraciones acompañadas por imágenes que son leídas sin ningún tipo de descifrado. Luciano mira unos segundos el texto y después dice el contenido correspondiente: "Pintor", "La nena toma jugo", "Estos son instrumentos musicales", "La señora lleva muchos paquetes".

Le pedimos a continuación que lea un fragmento de una lectura en un libro*. Aquí la situación cambia. Usaremos barras para marcar los cortes que Luciano va efectuando en su lectura.

El texto es el siguiente:

Mañana empiezan
las clases.
Pelusa no soporta
la idea de separarse
de Ana y de Tomás.

Sin el reloj despertador
los chicos no podrán
levantarse temprano.
Entonces, no irán a la
escuela.

Entrevistador	**Luciano**
Como no conocés este libro, yo te voy a contar quiénes son los personajes. El perro se llama Pelusa, el nene es Tomás y la hermanita es Ana.	

---

* Cukier, Rey y Tornadú, *Páginas para mí 2,* Aique Grupo Editor, 1983, Buenos Aires.

Ahora vamos a leer qué pasa con ellos.	(Comienza a leer) Mañana / se inician / las clases / Pelusa no / soporta / la idea / de separarse / de Ana / y de Tomás.
(Tapa el texto) A ver, ¿qué decía ahí?	(Sonríe tristemente) No me acuerdo.
¿Nada?	Nada.
¿No te acordás alguna idea de lo que decía?	Pelusa no soporta separarse de Tomás y Ana.
¿Y por qué tenían que separarse?	Porque empezaban las clases.
¡Eh! Entendiste todo lo que decía...	(Sonríe) ¿Sigo leyendo lo de abajo?
Sí.	Siempre / el / rrreloj / siempre el reloj / despertador / los chicono... / los chicos / no po... no podrán / le - van - tar - se levantarse / temprano en / en - ton - ces / no i... irán / a la escuela.
(Tapa el texto) ¿Qué decía?	No me acuerdo.
¿Que pasaba?	Que no pueden despertarse y no pueden ir a la escuela.
¿Por qué no se pueden despertar?	No sé...
¿Querés leerlo otra vez?	(Acepta la sugerencia con entusiasmo) Sí. (Toma el libro) Siempre... ¡no! ¿Simpre? (Pone cara de darse cuenta) ¡Sin! *Sin* el reloj despertador... (no sigue leyendo) Ahora sí entendí. Sin el despertador no se pueden despertar... (El texto está completado por una ilustración en la que se ve al perro llevándose el despertador entre los dientes. Luciano no ha prestado atención a la imagen hasta este momento). ¡Claro! Acá se ve que Pelusa lo agarró...

Luciano puede comprender el texto que lee en el libro, pero la manera en que lo hace es notablemente distinta al modo en que leía las tarjetas. Aparecen aquí una cantidad de cortes en la emisión y silabeos que estaban ausentes en la situación anterior.

Este fenómeno se repitió con la mayoría de los niños que ya leían fluidamente las tarjetas, provocando un gran desagrado a muchos de ellos. El orgullo que acompañaba la lectura de las oraciones se trocaba en disgusto y desasosiego cuando leían en el libro efectuando cortes entre las palabras, silabeando en algunos casos, o bien leyendo de manera monocorde, sin llegar a constituir un silabeo, en otros.

¿A qué podemos atribuir esta diferencia?

Una posible explicación sería que es más fácil leer una oración que un fragmento porque la oración es más corta.

Nosotros tendemos a pensar que no se trata *solamente* de un problema de extensión. El fragmento del libro incluye aspectos que no son todavía significativos para Luciano y sus compañeros, elementos del sistema de escritura que no son letras.

Nos referimos a los signos de puntuación, que revisten fundamental importancia para permitir una lectura adecuada. Cualquier lector adulto que haya tenido ocasión de leer alguna carta escrita por alguien cuyo manejo del sistema de escritura sea precario y no utilice signos de puntuación (o los use incorrectamente) habrá podido comprobar cómo se dificulta la comprensión y, en caso de leer en voz alta, cómo se distorsiona la emisión sonora.

Luciano y sus amigos podían mirar todo el texto de las tarjetas y luego reproducirlo verbalmente con naturalidad. En el libro esto no sucede; el texto es largo, razón por la cual no pueden "verlo" todo y después decirlo. Los signos de puntuación constituyen un dato indispensable para saber hasta dónde y cómo mirar, cuáles son las unidades del discurso y su sentido, en suma, cómo ir procesando el texto.

Puede parecer absurdo que no nos haya preocupado el disgusto que manifestaban los niños cuando su lectura no respondía al nivel de fluidez a que ellos aspiraban. Pero se comprenderá la razón de nuestra actitud si pensamos que posiblemente ese disgusto, ese desagrado, esa inquietud los impulse a seguir avanzando, a seguir investigando para satisfacer una exigencia propia, que nadie les ha impuesto: la exigencia de leer bien.

Como señala Francesco Tonucci: "Enseñar a leer y escribir no significa dar una técnica sino dar un modo cultural de comportarse. Sabe leer la persona que le gusta leer, no la persona que lee correctamente un examen. Sabe escribir la persona que utiliza correctamente el lenguaje escrito, no la que cuando va a hacer el servicio militar sabe escribir ante el oficial: "Soy un ciudadano italiano", como se hacía en Italia para demostrar que se estaba alfabetizado". (1977).

3 YO TE DOY, TÚ ME DAS, ÉL ME DA...

"La labor del maestro consiste en averiguar qué es lo que ya sabe el alumno y cómo razona, con el fin de formular la pregunta precisa en el momento exacto, de modo que el alumno pueda construir su propio conocimiento."

Constance Kamii

"El modo en que el niño aprende a escribir sigue el camino de la apropiación individual de un fenómeno social; pero considerar individual a esta apropiación no implica reducir su aprendizaje a una actividad solitaria. Muy por el contrario, nosotros consideramos que la situación grupal que supone el aula es una situación privilegiada, cuyas ventajas debemos saber aprovechar."

Ana Teberosky

En los últimos años he tenido contacto con numerosos docentes que se interesaron por esta modalidad de trabajo didáctico. Mi aproximación a ellos consistió en cursos de capacitación, conferencias, seminarios. Al cabo de los primeros encuentros, aparecían comentarios recurrentes: "Yo entiendo cuál es el proceso por el cual los chicos se apropian del sistema de escritura, pero... ¿qué hago?"; "Si no tengo un programa para seguir ¿qué actividades propongo?"; "Me cuesta mucho imaginar cómo dar clase si no estoy enseñando algo nuevo o haciéndoles repasar algo que ya enseñé..."

Estos comentarios tienen su razón de ser y ponen de manifiesto cierta inquietud muy comprensible. La idea de que los alumnos aprenden solamente a partir de la información suministrada por el maestro está muy afincada, no de manera exclusiva en las instituciones educativas sino en la sociedad toda.

¿A qué padre le gustaría llegar al aula de su hijo y encontrar a los chicos sentados en el suelo mirando libros o revistas mientras la maestra lee un periódico? La primera reacción sería, sin lugar a dudas, considerar que la docente no está cumpliendo con su rol, que está cobrando un sueldo por enseñar mientras lee el diario como si fuera una hora de descanso.

Si lo encaramos desde otro punto de vista, tal vez la situación no resulte tan descabellada. Pensemos que esa maestra hubiera planteado a sus alumnos que iban a dedicar la hora a leer lo que más les gustara. Que cada uno podía elegir de la biblioteca aquéllo que le resultara más interesante y que ella haría lo mismo. Con este planteo ella se incluía en la situación lectora como un participante más, ofreciendo a los niños un modelo que no es frecuente en la escuela: alguien *disfrutando* de un acto de lectura.

Sin llegar a una situación tan extrema (que no descarto como una modalidad más dentro del trabajo pedagógico), transcribiremos en este capítulo fragmentos de observaciones de clases a fin de ilustrar algunos ejemplos de actividades realizadas en primer grado. A través de ellos intentaremos comentar la naturaleza de las intervenciones de la maestra y mostrar algunos diálogos entre los alumnos que, en ocasiones, llegan a constituir uno de los pivotes centrales de la tarea.

Veamos una situación que se produce el 24 de abril, es decir, a un mes de iniciadas las clases. Beatriz, la maestra, había agrupado a los niños en los diferentes sectores y ella trabajaría con cuatro alumnos: Juan y Luciano que escribían en ese momento del año guiados por la hipótesis silábica utilizando letras de acuerdo con su valor sonoro convencional (preferentemente vocales), Carmen que producía escrituras silábico-alfabéticas y Andy, cuyo nivel de conceptualización ya era alfabético al comenzar el año escolar.

La intención de la maestra era formar el equipo con niños cuyo conocimiento del sistema de escritura no fuera muy divergente a fin de posibilitar diálogos más fructíferos. Como se señaló en la Introducción, experiencias pedagógicas anteriores pusieron de manifiesto la mayor riqueza de los intercambios de información entre niños cuyos niveles de conceptualización son cercanos. En este caso, el nivel de Andy era sensiblemente superior al de sus compañeros, razón por la cual no se produce un buen diálogo entre ellos. La maestra decidió, de todas maneras, su inclusión en este grupo porque, como el lector recordará, sólo había a comienzos del año dos niños cuya escritura era alfabética y la otra nena se encontraba ausente ese día. De modo que los cuatro que participaron en esta situación del 24 de abril eran los que tenían conceptualizaciones más cercanas de la población total de la clase.

La distribución de los alumnos en la mesa es la siguiente:

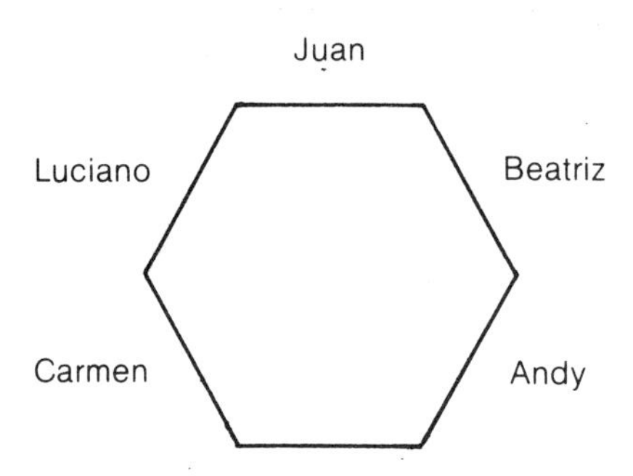

Esta situación se produce espontáneamente, antes que la maestra proponga la actividad prevista para esa hora. Cada uno tiene una hoja, un lápiz y una goma. Todos escriben su nombre en la hoja. Hay letras móviles en el centro de la mesa.

Andy: Quiero escribir "perro" (entusiasmado).

Beatriz: Bueno.

Carmen: Primero la "pe"... (toma una P).

Luciano: La "zeta"... (no hace ningún movimiento).

Beatriz: La "zeta", para "perro", ¿va?

Luciano: (Se ríe) No...

Carmen: (Coloca una E al lado de la P que había tomado anteriormente). Pe... la rrr...

Andy: (Termina de formar, al lado de su hoja, la palabra PERRO) Va con doble erre, me enseñó mi mamá.

Beatriz: Chicos, vamos a ver qué escribió Andy.

Luciano: (Mira con cara de preocupación) Yo no entiendo nada...

Juan: Está bien (Lo dice rápidamente).

Beatriz: (A Juan) Mostranos cómo leés "perro" ahí...

Juan:

P E R R O
↓ ↓
pe rro...

(Va señalando como indican las flechas): falta la "o" acá... (señala la E).

Andy: Está bien así, p-e-rr-o (sin señalar).

Luciano: (Retoma la "lectura" de Juan) A ver, pe (señala la P), rro (señala la E). Aquí (muestra la E) tiene que ir una "o".

Andy: "Perro" se escribe así (con seguridad).

Luciano: ¡No!

Andy: ¿Por qué no la formás vos y listo? ¿Eh? (se lo ve molesto).

Luciano: Bueno. (Deja la P, desarma el resto de la palabra y agrega una O. Queda PO).

Andy: Ahí dice "po".

Carmen: Sí, dice "po".

Luciano: (Enfáticamente) ¡No! Porque tiene *las dos.*

Juan: (Asiente complacido con movimientos de cabeza afirmativos).

Andy: (Fastidiado) Por eso dice "po", porque tiene *las dos* ... Yo ya la había formado y me la deshicieron... (Desarma PO y vuelve a armar PERRO).

Juan: (Mira con atención la palabra) Tiene razón Andy... Dejame ver porque tengo alguna dificultad. (Mira unos momentos en silencio. Los demás respetan su actitud y esperan).

Luciano: (Suspira)

Juan: Pero no... tiene que estar la "o" después de la "pe".

Beatriz: ¿Por qué no escribe cada uno en su hoja "perro" como crean que va?

Luciano: (Escribe PO).

Juan: (Escribe PO. Mira la hoja de Luciano) ¡Muy bien! ¡Igual que yo!

Carmen: (Escribe PERO).

Andy: (Escribe PERRO. Demora bastante porque tiene dificultad en el trazado de las letras).

Juan: (Toma las letras móviles y arma AAIA). Miren, puse "zapatilla".

Luciano: (Mira y aprueba) Sí... está bien.

Carmen: (Mira la escritura que armó Juan) No, le falta la "ce". ¿Dónde está la "ce"? (Comienza a revolver las letras buscándola).

Luciano: (Encuentra una C y se la da) Tomá.

Carmen: No, esa no... la otra "ce"... Aquí está (toma una S).

Luciano: Esa es la "ese", ésta (señala la C) es la "ce".

Carmen: Pero le falta *ésta* (señala la S).

Juan: ¡No! ¿Para qué?

Carmen: Para que diga "zapatilla". (Coloca la S delante de AAIA. Queda SAAIA).

Andy: (Termina su escritura de "perro" y mira con una especie de desaprobación benevolente).

Luciano: A ver... (Intenta interpretar cada letra de manera silábica)

S	A	A	I	A
↓	↓	↓	↓	
za	pa	ti	lla...	

(Cuando dice "ti" señalando la A se sorprende y cuando dice "lla" señalando la I hace un gesto francamente descalificador) ¡Así no es!

Juan: (Repite la misma exploración y se muestra de acuerdo con Luciano). Así no es... ¿no ves? (a Carmen).

(Luciano y Juan sacan la **s**).

Carmen: (Muy exaltada) ¡No! ¡Déjenla! ¿No ven que así dice "apatilla"? Así no dice "zapatilla", dice "apatilla".

Andy: (Con cara de circunstancias, en un tono de voz muy bajito) Ahí dice a,a,i,a.

Interrumpiremos aquí la transcripción de la clase para incluir algunos comentarios.

Se trata del comienzo de la hora. La maestra tenía previsto realizar otra actividad, a pesar de lo cual acepta la propuesta de Andy que consiste en armar una palabra con las letras móviles que estaban en la mesa. Esto ocurrió en numerosas oportunidades durante el transcurso del año y pudimos comprobar que, muchas veces, las innovaciones introducidas por los niños enriquecían enormemente las planificaciones de la maestra.

Al revisar el fragmento transcripto podemos notar que cada niño expresa libremente su opinión. Pero no se limita a expresarla sino que, además, la defiende ardorosamente.

Por momentos se dan diálogos que recuerdan conversaciones entre sordos. Veamos, si no, qué sucede cuando Luciano intenta armar la palabra "perro" y coloca **PO**. Tanto Andy como Carmen opinan que ahí dice "po", afirmación enérgicamente rechazada por el autor de la escritura, quien argumenta que eso no es posible "porque tiene *las dos*". ¿Qué quiere decir Luciano con esto? Juan lo comprende muy bien y asiente con satisfacción. Andy no sabe de qué está hablando su compañero, razón por la cual le responde con fastidio.

El malentendido es comprensible. Para Carmen y Andy ahí dice "po" porque tiene *las dos:* la **p** y la **o**. Y justamente ése es el argumento esgrimido por Luciano para aseverar que no puede decir solamente "po": cada letra tiene, para él, un valor sonoro silábico, razón por la cual si hay *dos letras* deben leerse *dos sílabas*. Su lógica le indica, pues, que en su escritura puede decir "perro" y no lo que afirman Andy y Carmen.

No abundaremos en mayores comentarios sobre esta situación, pero veamos el diálogo a propósito de la escritura de "zapatilla", que es muy similar al que va a producirse una semana después cuando intentan escribir la palabra "café". La intervención de Carmen es prácticamente idéntica en ambos casos, pero la reacción de sus compañeros es sensiblemente diferente.

Cuando Carmen cuestiona la escritura de "zapatilla" (**AAIA**) centrando su crítica en el comienzo de la palabra (recordemos que propone anteponer una **s** para obtener la escritura adecuada), Luciano y Juan no pueden modificar su postura. Rechazan la sugerencia y no prueban otras posibilidades. Una semana después los señalamientos de Carmen se convierten en disparadores más eficaces y sus compañeros logran jugar con otros intentos.

Instalémonos, pues, en el salón de primer grado el día 30 de abril. En esta oportunidad Beatriz trabajará solamente con Juan, Luciano y Carmen.

Ubicación en la mesa:

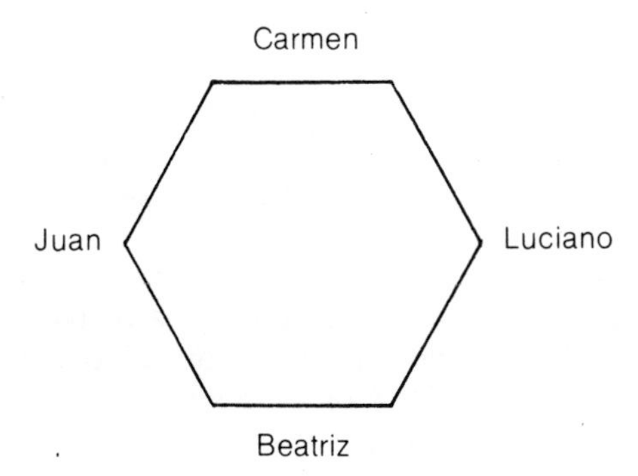

La tarea propuesta por la maestra consiste en presentar a los niños una oración, informar acerca del contenido y después indagar qué piensan ellos que dice en cada uno de los fragmentos del texto (palabras). El señalamiento de las palabras se hace en forma desordenada, evitando comenzar por la primera y terminar por la última.

Para un adulto alfabetizado puede resultar extraño pensar que un analfabeto no sepa que cada grupo de letras escritas representa cada una de las palabras integrantes de la oración, ubicadas de izquierda a derecha, en el orden en que se han emitido oralmente.

No obstante, las investigaciones mencionadas anteriormente han puesto de manifiesto las dificultades de este tipo de identificación, como así también los diferentes tipos de respuesta que se van sucediendo cuando se aborda una interpretación de esta naturaleza (Ferreiro y Teberosky, 1979; Ferreiro y Gómez Palacio Eds. 1982, Fascículo 4).

Expondremos brevemente los tipos de respuestas, comenzando por aquéllos más evolucionados para llegar a los niveles de conceptualización más primitivos, a fin de permitir una mejor comprensión de la clase a los lectores que no conozcan esta información.

A) Ubican correctamente en el texto cada una de las palabras del enunciado.

B) Consideran que las partes de la oración esenciales para la comprensión (sustantivos y verbos) están escritos en forma independiente, pero las palabras restantes no.

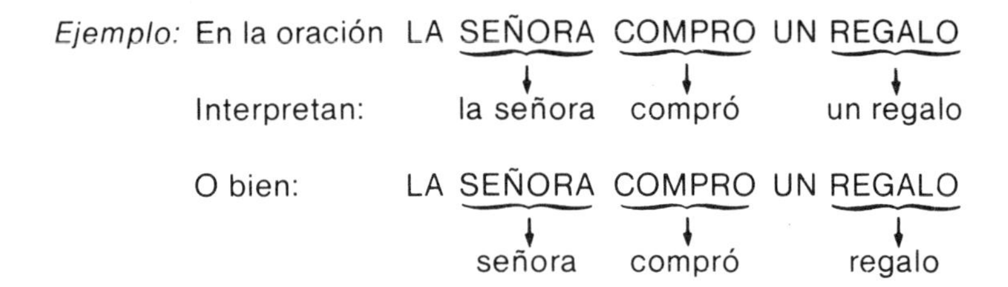

Como puede advertirse, hay dificultad para ubicar los artículos. En el primer caso consideran que están unidos a los sustantivos (es decir, que en SEÑORA dice "la señora" y que en REGALO dice "un regalo"). En el segundo caso los omiten, considerando que allí donde está escrito "señora" puede leerse "la señora", ya que cuando se les pregunta si recuerdan cómo es toda la oración la repiten correctamente, incluyendo los artículos.

C) Tienen dificultad para concebir que el verbo pueda estar escrito de manera independiente; éste es solidario de la oración completa, del sujeto o del predicado entero.

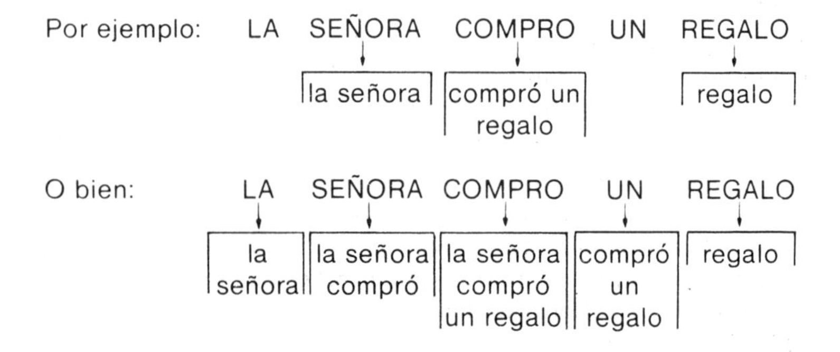

D) Responden con la oración completa para cada fragmento de escritura, es decir, consideran que en cada palabra "dice" toda la oración.

E) Consideran que en una de las palabras escritas está toda la oración original y hacen corresponder a las restantes otros enunciados congruentes con el primero.

Por ejemplo:

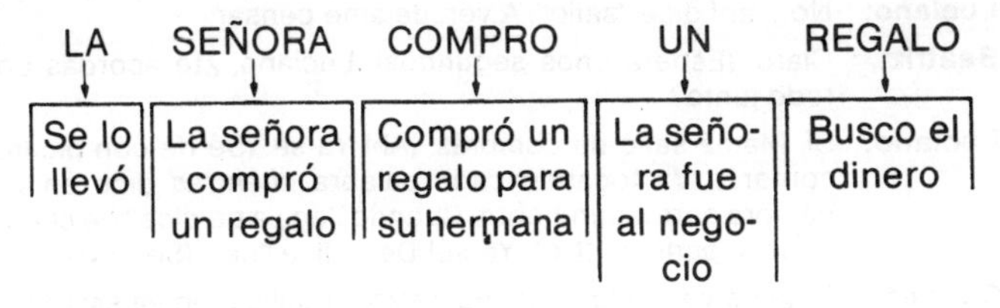

F) Ubican los nombres en algunos de los fragmentos y en los restantes, o bien los repiten o introducen otros compatibles con los originales.

Por ejemplo: LA SEÑORA COMPRO UN REGALO
↓ ↓ ↓ ↓ ↓
señora regalo señora señora regalo

O bien: LA SEÑORA COMPRO UN REGALO
↓ ↓ ↓ ↓ ↓
regalo señor señora negocio paquete

NOTA: Las respuestas D. E. y F no constituyen estrictamente niveles diferentes y muchos niños incluyen en sus interpretaciones combinaciones de ellas, aunque un tipo de respuesta F puede corresponder a un nivel más elaborado que otras respuestas que se manifiesten también como F o bien respuestas D o E. (Ferreiro, Gómez Palacio Eds., 1982, Fascículo 4).

G) Sus respuestas indican que aún no han descubierto que la escritura es un objeto sustituto. Pueden manifestarse como "dice letras", o bien "dice o, a, u" es decir, nombres de letras, etcétera.

Regresemos al aula de primer grado el 30 de abril.

Beatriz: Chicos, yo voy a escribir algo. Les voy a decir lo que escribí y ustedes después me van a contestar unas preguntas. (Escribe **MAMA SALIO DE COMPRAS**). Miren, acá dice "Mamá salió de compras" (acompaña con un señalamiento corrido de izquierda a derecha). A ver, Luciano, si adivinás qué dice acá (señala **SALIO**).

Luciano: (Se queda pensando unos segundos. Toca con el dedo la palabra **MAMA** y dice "mamá" en voz muy baja. Agrega "salió" también en voz baja y luego repite en voz alta). Salió, ahí dice "salió".

Beatriz: (Sonríe) ¡Bravo! Muy bien. Sí, dice "salió". ¿Y aquí? (señala **COMPRAS**).

Luciano: De compras... ¡No! Compras.

Beatriz: Claro que sí... ¿Y aquí? (Señala **MAMA**).

Luciano: (Con cara de "quién no lo sabe") y... mamá.

Beatriz: Sí. Y acá (señala **DE**) ¿qué dirá?

Luciano: Salió (parece dudar).

Beatriz: Y aquí (señala **SALIO**) ¿qué decía?

Luciano: No... ahí dice "salió". A ver, dejame pensar.

Beatriz: Claro. (Espera unos segundos). Luciano, ¿te acordás cómo decía todo junto?

Luciano: Sí. Mamá salió de compras. ¡Ah! Ya sé. (Se ríe con picardía). Voy a contar... (Va tocando cada palabra mientras dice en voz baja la palabra correspondiente. Cuando llega a **DE** dice "de compras", mira unos segundos) ¡No! ¡Ya sé! De... dice "de". (Se lo ve eufórico).

Carmen: Dejame ver... Mamá (señala **MAMA**), salió (señala **SALIO**), de (señala **DE** . Se ríe). Sí, "de", dice "de". (Parece sorprendida).

Luciano: Porque si dice "de compras" en ésta (**DE**), ¿qué va a decir acá? (señala **COMPRAS**) ¿no? (Sonríe a Carmen).

Juan: Yo no entiendo... Mamá (señala **MAMA**), sa (señala **SALIO**), lió (señala **DE**), de (señala **COMPRAS** . Ve que no hay más palabras y pone cara de fastidio. Graficaremos el señalamiento y la "lectura" para que quede más claro).

MAMA	SALIO	DE	COMPRAS
↓	↓	↓	↓
mamá	sa	lió	de

(Se lo ve muy perturbado). No sé cómo es esto...

Beatriz: A ver, Juan, si querés te escribo otra cosa...

Juan: Sí.

Beatriz: (Escribe **LA SEÑORA TOMA EL TE**). Yo escribí "La señora toma el té"...

Carmen: (Rápidamente comienza a señalar y tratar de "leer" las palabras)

LA SEÑORA TOMA EL TE
↓
La señora... ¡No, no! Me equivoqué. (Vuelve a empezar).

LA	**SEÑORA**	**TOMA**	**EL**	**TE**	
↓	↓	↓	↓	↓	
La	señora	toma	el	té.	Ahora sí me salió bien.

Luciano: (Intenta identificar las partes de la oración. Lo hace de esta manera):

LA	**SEÑORA**	**TOMA**	**EL**	**TE**
↓	↓	↓		
La señora	toma	el te.		¡Uy! No... Está mal...

(En ese momento, un niño que estaba trabajando en otro grupo se acerca a la mesa y pide a Beatriz que le ate el cordón de una de sus zapatillas).

Carmen: (A Luciano en voz baja) ¿Sabés por qué no te sale? Porque vos decís "la señora", "la señora" (lo dice rápido, sin hacer pausa entre "la" y "señora") y no es así. Tenés que ir diciendo de a poco. Mirá: la (señala **LA**), señora (señala **SEÑORA**), toma (señala **TOMA**), el (señala **EL**), té (señala **TE**). ¿Ves? No tenés que decir "la señora". Es la (se detiene) señora.

Luciano: ¡Ah! Ya sé...

Juan: (Muy entusiasmado) ¡Yo también entendí!

Beatriz: (Termina de atar el cordón. El niño regresa a su mesa) ¿Y, Luciano? ¿Cómo será esto?

Luciano: ¡Ya sé! ¡Ya sé! (Se ríe. Comienza a señalar las palabras.)

LA	**SEÑORA**	**TOMA**	**EL**	**TE**	
↓	↓	↓	↓		
La	señora	toma	el té...		¡Ay! (con enojo y sorpresa)

Carmen: (Se ríe) ¡Perdiste un punto!

Luciano: (Mira con perplejidad pero se lo ve divertido) Me sobró otra vez...

Carmen: (Sonriendo). Porque dijiste "el té"... "el té"...

Juan: Claro... como "la señora"...

Luciano: (Asiente con la cabeza).

Como puede advertirse, Carmen es quien ha resuelto el problema e intenta explicar a Luciano cómo es la cuestión. Es interesante ver cómo éste último, que comienza dando respuestas de tipo B (es decir, con dificultad para aislar los artículos), trata de comprender y utilizar la información de Carmen, cosa que logra con el sujeto (la señora) pero no le sirve para continuar con "el té". La maestra no interviene, permitiendo a los niños dialogar sin interferencias.

Veamos cómo continúa la situación:

Beatriz: A ver, presten atención. Ahí dice "la señora toma el té", si yo quiero que diga "la señora toma el café", ¿qué tengo que hacer?

Carmen: Hay que sacar esto (señala **TE**) y poner "café".

Juan: (Asiente con la cabeza)

Beatriz: (A Carmen) ¿Te animás a escribir "café"?

Carmen: (Asiente. Escribe **CA**). F... ff... ¿cuál es la "f"?

Beatriz: Yo te voy a poner tres letras y vos elegís... (toma tres letras móviles: **J**, **G** y **F**).

Carmen: (Asiente. Elige la G y escribe **CAGE**).

Luciano: ¡No, Carmen! Esa es la de "gato".

Carmen: Entonces... (mira a Beatriz) ¿es ésta? (señala la **F**)

Beatriz: (Asiente con la cabeza).

Carmen: Ya me parecía... (Corrige su escritura. Queda **CAFE**).

Beatriz: Carmen escribió "café". ¿Está bien para vos, Juan?

Juan: (Escribe con decisión **AE**) Yo creo que es así. Ca (señala **A**), fé (señala **E**).

Carmen: (Se ríe). No... ahí dice "afé", "afé".

Beatriz: ¿Y para vos, Luciano, está bien escrito?

Luciano: No. (Escribe **AF**).

Carmen: (Se ríe. Luego se pone seria) No. Ahí dice "caf" y en lo de Juan dice "afé", "afé", no "café".

(Luciano y Juan rechazan la opinión de Carmen)

Carmen: No, Luciano, lo que pasa es que vos decís letras, no palabras...

Luciano: Estamos leyendo... (con tono impaciente).

Carmen: No estamos leyendo, estamos pensando. (Terminante).

Juan: (Borra su escritura. Piensa y vuelve a escribir **AE**). Para mí es así...

Carmen: Le falta la f... caf... f, f.

Juan: (Vuelve a borrar y escribe **AFE**).

Luciano: (Mira la escritura de Juan) ¡Eso sí que está bien!

Beatriz: A ver, Juan, explicanos...

Juan: Ca, ca... ¿es la "a"?

Luciano: No, la "a" no es la "ka", la "ka" es ésta (escribe **K** en su hoja). Esta es la "ka".

Carmen: (Se sobresalta ante la seguridad de Luciano) ¿Cómo es, Beatriz? ¿La "ca" no es la de mi nombre? ¿Café no se escribe así? (señala su escritura **CAFE**).

Beatriz: (A Carmen) Esta letra (señala la **K** que hizo Luciano) es la "ka", pero ésta (señala la **C** de la escritura de Carmen) sirve para escribir "café".

Carmen: (Con alivio). ¡Las dos están bien!

Juan: (Borra **AFE**. Escribe **CAE**). A ver... ¿cómo ustedes leen esto? (Se dirige a Carmen y a Luciano).

Carmen: Ca (señala **CA**), e (señala **E**), caé.

Luciano: Yo escribo de otra forma que empieza con esto (pone **KF**).

Carmen: (Se ríe) Luciano, ahí dice caf... caf...

Luciano: (Ansioso) Esperá, esperá. (Agrega una **E**. Queda **KFE**).

Juan: A ver si borramos esto... (borra **CAE** y escribe **CFE**).

Luciano: (A Juan) Poné esta ka... (señala la **K** en su escritura **KFE**).

Juan: (Niega con la cabeza).

Carmen: (Le pega a Luciano) ¡Son las mismas! Dejalo que no la cambie.

Beatriz: Chicos, ¿por qué no escriben su nombre en esta hoja para que yo me acuerde quiénes trabajaron?

(Todos escriben correctamente su nombre).

Transcribiremos la secuencia de escrituras de los tres niños:

LUCIANO	**JUAN**	**CARMEN**
		CAGE
AF	AE	CAFE
	AFE	
KF	CAE	
KFE	CFE	

Vamos a interrumpir nuevamente la clase para intercalar algunos comentarios antes de llegar al cierre de la situación.

La maestra consideró adecuado cambiar la actividad, dentro de la misma problemática, pidiendo que anticiparan qué transformación debía hacerse en la escritura de la oración para sustituir el objeto directo.

Esto puede parecer obvio al lector: ¿qué otra cosa que borrar "té" y poner "café" podría hacerse para que ahí diga "La señora toma el café"?

Una vez más el pensamiento de los niños puede sorprendernos. En este caso la respuesta fue correcta, pero hay quienes consideran que hay que borrar todo y escribirlo nuevamente (por tratarse de un enunciado que es visualizado como globalmente diferente) o bien borrar "toma el té" y poner "toma el café" (ya que pueden considerar el verbo como formando un todo indisociable con el objeto directo), etcétera.

Por esta razón, la pregunta de Beatriz no fue banal. Ella estaba explorando el pensamiento de sus alumnos.

Veamos qué sucede con la escritura de la palabra "café". Carmen escribe, en esta oportunidad, de manera alfabética, aunque en el primer intento coloca **G** en lugar de **F**. Ahí interviene Luciano quien, a pesar de escribir silábicamente, pudo dar a Carmen una información válida que ésta acepta, procediendo a corregir su producción. Es interesante señalar que no siempre el poseedor de un "mayor" conocimiento es quien puede ayudar a los demás. Cada uno, desde **su** saber, puede brindar algo a sus compañeros.

Juan intenta escribir la misma palabra guiado por su propia convicción (**AE**), y es seguido por Luciano que utiliza la misma hipótesis pero, para la segunda sílaba, emplea una letra diferente (**AF**).

En función de sucesivas intervenciones de Carmen, Juan y Luciano van intentando nuevas escrituras para la palabra "café", llegando a lograr mejores producciones. Prestemos atención a un dato: ninguno de los dos acepta algo que no pueda comprender; exploran tomando lo que pueden asimilar de la información que se les suministra, de los cuestionamientos que Carmen va oponiendo. Y llegamos aquí a un punto central de la cuestión: ¿cuáles son los argumentos de esta niña, que ella esgrime con la libertad que caracteriza a nuestros pequeños pensadores? Es indudable que sus peculiares "lecturas" no coinciden con las que nosotros (o la maestra) podríamos hacer. Carmen informa a Luciano que en su escritura (**AF**) dice "caf" y comunica a Juan que en la suya (**AE**) dice "afé", totalmente convencida de que eso es así. Esto se debe a que Carmen, pese a lograr una escritura alfabética de "café" por lo general escribe de manera silábico-alfabética, lo que explicaría la interpretación que hace de las producciones de sus compañeros.

Desde la perspectiva adulta, lo que Carmen afirma es incorrecto, pero es probable que su información haya resultado más útil a Juan y Luciano que una lectura exacta de **AF** y **AE**. Lo que ella estaba transmitiendo era que allí faltaba algo, pero que lo escrito tenía mucho que ver con la palabra que quisieron escribir. Las incompletudes verbales que ella expresaba —"caf" y "afé"— para señalar las incompletudes gráficas, eran más cercanas a la palabra "café" que la sonorización textual "af" o "ae". Es probable que su intervención haya brindado una buena pista a sus compañeros para seguir explorando.

Cuando señalamos que la interacción grupal es uno de los pivotes centrales de esta modalidad de trabajo didáctico, nos referimos, entre otras cosas, a intercambios de este tipo donde los propios niños brindan a sus compañeros posibilidades que no podría ofrecer un adulto.

Veamos, entonces, cuál puede ser el rol del maestro en nuestra propuesta pedagógica. Revisemos la clase y observemos cuál es la naturaleza de las intervenciones de Beatriz.

En un primer momento ella propone la actividad: identificar las partes de una oración escrita después de haber sido informados acerca del contenido total de la misma. En este caso formula preguntas sin interferir ni cuestionar las respuestas.

A continuación pide que anticipen qué transformación debe efectuarse para obtener como resultado un enunciado que consta del mismo sujeto pero altera el objeto directo. Una vez obtenida la respuesta —en este caso correcta— pide que escriban la palabra sustituto ("café").

Cuando Carmen pregunta "¿cuál es la f?", la maestra propone tres opciones para que la niña elija. Respuestas de este tipo tienen como propósito constatar cuánto sabe la alumna acerca de lo que está preguntando y permitirle un rol más activo (muchas veces los niños piden una letra pero están en condiciones de reconocerla cuando ésta aparece en un conjunto, y les da mucho gusto identificarla). Está de más aclarar que no siempre se reacciona de esta manera: en otras oportunidades, cuando un niño pregunta por una letra se le responde directamente.

La siguiente intervención de Beatriz consiste en preguntar a Juan y a Luciano su opinión sobre la escritura de Carmen. Esto sí se hace habitualmente y puede advertirse en el fragmento transcripto de la clase que abrió un buen espacio para un intercambio interesante.

Finalmente, la maestra aclara a los niños la razón por la cual les pide que pongan sus nombres en la hoja: "para que yo me acuerde quiénes trabajaron". Este tipo de comentario no es fortuito, ya que está remarcando una de las funciones específicas de la escritura (guardar memoria). El mensaje implícito sería que no escribimos como un puro ejercicio sino por algo y para algo; en la vida cotidiana se escribe para transmitir información, para no olvidar, para marcar la propiedad de un objeto... ¿por qué desvirtuar la utilidad de la escritura en el ámbito escolar?,¿por qué tergiversar lo que estos niños ya han comenzado a explorar, antes de ingresar a la escuela, referente a dicha utilidad?

La cantidad de intervenciones de Beatriz merece un comentario aparte: podemos advertir prolongadas secuencias en las que no participa directamente, limitándose a escuchar y dejar opinar. La situación no demandaba una intervención más activa de su parte. Pero los docentes están acostumbrados a hablar. Michael Stubbs señala que, en nuestra cultura, la enseñanza es conversación y agrega, citando a Flanders: "Los profesores tienden a hablar durante el setenta por ciento, aproximadamente, del tiempo de la clase". Luego continúa con este comentario, que puede parecer una humorada: "Si un alumno permanece en la escuela entre las edades de cuatro y dieciseis años, podría tener que escuchar más de ocho mil horas al profesor". (Stubbs, 1984, pág. 13).

No creemos que tal cosa sea deseable. Tampoco es provechoso un maestro mudo. Lo ideal sería un docente que hable cuando esto sea necesario y sepa escuchar cuando los alumnos dan su opinión.

Antes de transcribir el final de la clase, intercalaremos un comentario para que se entienda mejor la situación en lo que se refiere a la divergencia entre el nivel de la escritura de los nombres de los niños y sus otras producciones.

La mayor parte de los niños conocía la escritura convencional de su nombre al comenzar el año escolar. Aquéllos que la ignoraban fueron informados por la maestra, que preparó tarjetas con los nombres de todos. Cada uno aprendió a escribir su nombre en el mejor estilo tradicional, a partir de ver reiteradamente cuáles eran las letras que lo conformaban y en qué orden iban. Lo copiaron muchas veces hasta que recordaron ese modelo de escritura, lo cual no implica que comprendieran por qué su nombre se escribía de esa manera.

Esta actividad puede resultar extraña a quien conciba el aprendizaje desde una perspectiva constructivista. De hecho, cuando decimos que estos niños saben escribir su nombre no estamos afirmando que sepan escribir, es decir, que hayan desentrañado las reglas de formación del sistema de escritura alfabética. Una maestra me planteó hace tiempo: "Si sostenemos que no se aprende copiando, repitiendo y memorizando, ¿por qué pensamos que es bueno que los chicos conozcan la escritura de su nombre por el camino de la copia, la repetición y la memorización?".

Estamos en condiciones de aclarar esta aparente paradoja.

Una cosa es creer que un niño aprenderá a leer y escribir en función de que se le vayan presentando las letras (y/o palabras) en un cierto orden a fin de que reproduzca su trazado, conozca su valor sonoro y las vaya recordando (modelo asociacionista) y otra muy diferente es proveer al niño de una pieza estable de escritura para que interactúe libremente con ella.

Pensamos que el nombre propio es un buen modelo: constituye un atributo que sólo puede representarse gráficamente a través de la escritura (no puede dibujarse, por ejemplo) y es parte esencial de su identidad, razón por la cual hay una fuerte carga afectiva ligada a él.

¿A qué nos referimos cuando decimos "que interactúe libremente" con esa escritura?

Ferreiro señala que el nombre es una fuente de información y conflicto. (Ferreiro y Gómez Palacio Eds. 1982). Como fuente de información, conocer la escritura de su nombre puede ayudar al niño a comprender una de las características esenciales de la escritura: la estabilidad de la atribución, es decir, que una palabra determinada se va a escribir siempre de la misma manera, dato que los niños no conocen desde el inicio. La información que le da su nombre —escrito siempre con las mismas letras y en el mismo orden— puede ser más adelante generalizado a otras escrituras, en virtud de posteriores reorganizaciones y coordinaciones de sus propias hipótesis. También es fácil advertir que su nombre escrito le proporciona un repertorio de letras convencionales que podrá reconocer, comparar con las de otras escrituras, etcétera.

No menos importante es la función del nombre como disparador de situaciones conflictivas. Cuando un niño aprende a escribir (¿a dibujar?) su nombre en un período en que todavía no vincula la escritura con los aspectos sonoros del habla, esta información no parece perturbarlo. Llega incluso a reconocerlo entre otros y reproducir la secuencia de letras que lo integran de manera adecuada —aunque no comprenda la razón de esa secuencia— sin manifestar ninguna inquietud. Los problemas parecen presentarse más adelante, básicamente cuando ese niño accede a una vinculación sistemática entre la escritura y la sonoridad: la concepción silábica del sistema. Hemos visto reiterarse al infinito situaciones en que los niños llegan a cuestionar la escritura de su nombre porque ésta se resiste a sus posibilidades asimilatorias (la escritura es alfabética y su hipótesis es silábica), debiendo enfrentar contrariedades de índole cuantitativa y cualitativa. Recordemos las dificultades de Luciano (Capítulo II) ocasionadas por el desajuste cuantitativo (le sobraban letras) y cualitativo (conocía algunas y no estaban ubicadas donde él consideraba que debían estar).

Situaciones de este tipo son las que, en determinados momentos, pueden ser útiles para poner en tela de juicio construcciones intelectuales que deben ser superadas. Esto demandará, por cierto, enormes esfuerzos y provocará, en muchos casos, fuertes resistencias. Pero el aprendizaje no consiste en una alegre suma de conocimientos sino en complejas reestructuraciones y se dará a partir de problemáticas situaciones que deban ser resueltas.

Una vez aclarado por qué todos los alumnos, independientemente del nivel de conceptualización en que se encontraran, escribían su nombre de manera convencional, veamos el final de esta clase del 30 de abril.

Cuando terminan de escribir sus nombres, registramos la siguiente situación:

Luciano: (Muestra las dos primeras letras de su nombre y comenta sonriendo). Así se pone lunes y Lucas. (Lucas es un compañero).

Beatriz: ¿Con esas dos?

Luciano: (Asiente con cara de haber hecho un buen descubrimiento).

Beatriz: ¿Y luna?

Luciano: Luna también...

Beatriz: A ver, escribilo...

Luciano: (Escribe LUA).

Juan: (Escribe simultáneamente UA).
(Carmen no participa y mira lo que hacen otros compañeros en una mesa vecina —sector de "Juegos tranquilos"— con letras móviles).

Luciano: (A Juan) Tenés que poner la ele...

Juan: Así está bien... "u" para "lu" y "a" para "na".

Luciano: (Sonriendo mientras niega con la cabeza) No, es así (señala LUA).

Juan: (Sonríe un poco perplejo) No entiendo nada...

Luciano: Mirá. Yo me di cuenta que con estas dos (señala LU en su escritura de LUCIANO) se ponía "Lucas" y "lunes". Entonces "luna" también tiene que empezar así.

Beatriz: A ver, Juan, ¿cómo se escribirá "jugo"?

Luciano: (Escribe UO).

Juan: Ju... (escribe U) la "g"... ¿cuál es la "g"? (Mira a Beatriz con extrañeza y algo divertido) ¿Para qué pregunto la "g"? (con cara de haberse confundido. El sonido es el correspondiente al fonema).

Beatriz: A mí me parece una buena pregunta...

Juan: ¿Qué íbamos a escribir? Gato (se ríe) ¡no! jugo... pero también necesito la "j" (sonido del fonema). (Se fija en su nombre. Escribe JO al lado de la U que había puesto. Queda UJO). ¡Ah, no! Me equivoqué (borra UJO y escribe JUO).

Beatriz: ¿Cómo era, entonces?

Juan: Así, mirá. Ju (señala la J de JUO), go (señala la U . Ve que le sobra la O y se queda pensando unos segundos). No, me equivoqué. (Borra la O . Queda JU). A ver... ju (señala la J), go (señala la U). ¿Go en la u? (sorprendido). Esperá. (Borra la U y pone una O . Queda JO). Ahora sí: ju (señala la J), go (señala la O mientras hace un movimiento afirmativo con la cabeza).

Beatriz: Mirá, Juan (toma la hoja donde está escrito el nombre de Juan) ¿qué escribiste aquí?

Juan: Juan.

Beatriz: Sí. Y si yo tapo así (tapa JU□) ¿qué queda?

Juan: Jua... Jua... (quiere hacerlo más corto pero no logra suprimir la "a").

Luciano: ¡No! Queda ju... ¿no ves la u?

Juan: Sí, ju. (Asiente con la cabeza).

Beatriz: Y aquí, donde escribiste "jugo" (JO), ¿dónde dice "ju"?

Juan: Aquí... (señala la J), pero la u... (mira su nombre).

Luciano: (Muy excitado) ¡Debe ser como "lunes" y "Lucas", Juan, con dos!

En ese momento Beatriz ve que está por terminar la hora y pide a todos los chicos que guarden sus cosas para salir al recreo. Juan se queda hablando con Luciano que intenta repetir la explicación, sin modificarla. Juan alega que no entiende por qué "ju" va a escribirse con dos letras y "go" con una. Luciano hace un gesto de duda, ya que él mismo no comprende muy bien cómo es ese asunto. Le dice: "Yo *creo*, pero muy bien no *sé* cómo es...". Finalmente salen al recreo. En esta oportunidad podemos ver que Luciano comenta con satisfacción su "descubrimiento", pero también advertimos que no está dotado de gran solidez. En efecto: él puede aplicar su regla (la sílaba "lu" se escribe con esas dos letras) a la sílaba inicial de la palabra "luna", pero todavía no ha desentrañado el fundamento de esa cuestión, razón por la cual no le sirve para producir escrituras alfabéticas. De todos modos tiene la posibilidad de comunicar su creencia, aunque aún no se trate de una certeza.

Esto permite a la maestra plantear una situación que le posibilitará detectar los alcances del descubrimiento de Luciano: pide a éste que escriba "luna" y solicita a Juan la escritura de una palabra cuya sílaba inicial coincide con el comienzo de su nombre (jugo).

¿Para qué hace esto último? Ella sabe que Juan, al igual que Luciano, escribe de manera silábica usando de manera privilegiada las vocales pertenecientes a cada sílaba. En este caso, la expectativa de Beatriz es que Juan escribiría **UO** o bien **JO** si decidía utilizar la primera letra de su nombre otorgándole el valor sonoro de "ju". En ambos casos se planteaba la posibilidad de hacer cotejar esa escritura con el comienzo del nombre (cosa que intenta cuando deja a la vista la primera parte del nombre JU☐, tapando el resto), dato que podía ser potencialmente conflictivo: en un caso el sonido "ju" iba a estar representado por *una* letra (**U** o bien **J**) y en el otro el mismo sonido estaría escrito con *dos* (JU☐).

Como podemos ver en el registro de la clase, Juan no quedó muy tranquilo frente a esta constatación. Pero tampoco pudo resolver la contradicción. Ni siquiera Luciano, que avanzó más que su compañero ("debe ser como lunes y Lucas, con dos"), pudo dar cuenta acabada de este fenómeno.

Beatriz detuvo ahí su intervención. En esta oportunidad coincidía con el final de la hora, pero es probable que no hubiese continuado, aun disponiendo de más tiempo. Muchas veces es conveniente dejar planteado un problema y dar a los niños su propio tiempo para que intenten posibles soluciones. Las "ideas brillantes" (E. Duckworth, 1984) no siempre surgen en la hora de clase ni la maestra tiene la dicha de presenciar su construcción, ya que, como decía Luciano en el capítulo anterior, "cuando me voy a mi casa yo sigo pensando."

Esa convicción nos permite controlar nuestra ansiedad y no pretender, en cada clase, transmitir información sobre productos acabados, información que puede resultar inútil en algunas ocasiones o bien inhibitorias del proceso de pensamiento que un niño está construyendo, si ese dato contrasta demasiado con su propia elaboración.

Transcribiremos ahora el registro de un fragmento de clase en que la maestra propone otra actividad explorada en trabajos previos de investigación (Ferreiro y Teberosky, 1979), que consiste en tapar partes de un nombre escrito a fin de constatar qué consideran los niños que dice en los fragmentos visibles. Ferreiro señala: "Este tipo de trabajo cognitivo sobre la escritura del nombre no solamente puede ser anterior al conocimiento del valor sonoro convencional de las letras, sino que en muchos casos lo prepara." (Ferreiro y Gómez Palacio, 1982, Fascículo 4, pág. 104).

Veamos qué sucede en esta clase del 15 de mayo, a dos meses de iniciado el año escolar. Nuevamente están trabajando organizados en pequeños grupos. La maestra coordina la tarea de cuatro niños: Nicolás L., Nicolás B., Camila y Patricio. Todos tienen hojas en las que han escrito su nombre en imprenta mayúscula. Como ya se aclaró, las escrituras de los nombres son convencionales, pero la conceptualización que predomina en el grupo es silábica. Camila y Nicolás L. ya incluyen, ocasionalmente, alguna aproximación al análisis alfabético.

Su ubicación en la mesa es la siguiente:

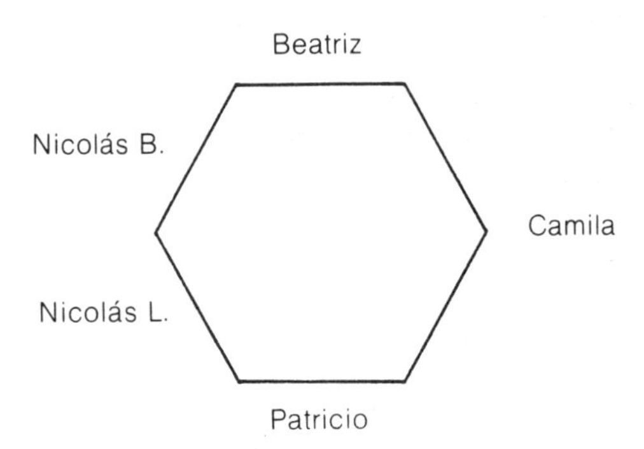

Beatriz: (Toma una hoja en blanco y escribe, con letras grandes, CAMILA). ¿A ver quién sabe qué escribí yo aquí? (Muestra la hoja).

Camila: (Rápidamente) ¡Camila! (Sonríe satisfecha).

Patricio: (Mira la hoja de Camila y la que muestra Beatriz). Sí, Camila.

Beatriz: Miren bien. (Toma una tarjeta blanca y tapa con ella la parte final del nombre. Deja a la vista CA☐). Si yo saco esto, ¿qué dice en esta parte?

Nico L. y Nico B.: (Rápido) Ca.

Nico L.: Aunque no... porque ésta (señala C) es la ca...

Camila: Dice "ca" (con seguridad).

Nico B.: Sí, dice "ca".

Nico L.: (Preocupado) A ver cómo es... ca (señala C), mi (señala A). No. ¿Es Camí? (no está convencido).

Patricio: (Repite el señalamiento de Nico L.). Ca (señala C), mi (señala A). Sí, dice Camí.

Beatriz: (Sonríe) Y así, ¿que dirá? (corre la tarjeta y deja a la vista CAMI☐).

Nico B.: ¡Así dice Camí! (mira a Nico L.) ¿Ves? Camí, con la i.

Camila: Sí, Camí.

Nico L.: (Mira pensativo) Y, sí... termina con la i...

Patricio: (Se distrae. Mira a los niños que están en el sector más cercano).

Beatriz: ¿Y si lo tapo así? (Corre la tarjeta. Queda ☐MILA).

Camila: M... mila.

Nico B.: ¡Sí! Mila.

Beatriz: (A Nico L.) ¿Vos qué pensás que dice ahí, Nico?

Nico L.: Mila.

Beatriz: ¿Y así? (Desliza la tarjeta. Deja ☐LA).

Nico L.: La.

Beatriz: A ver, Pato, ¿qué dice así? (Deja ☐MILA).

Patricio: Mila.

Beatriz: ¿Y así? (☐LA).

Patricio: La.

Beatriz: (Sonríe) Ahora fíjense bien que lo voy a dejar muy difícil (corre la tarjeta y deja ☐AMILA).

Camila: Ca... Camila...

Beatriz: ¿Seguro que dice "Camila"?

Camila: (Piensa) No. A... a... ¡amila!

Beatriz: ¿Y así? (deja CAMIL☐).

Nico L.: Camí.

Camila: ¡No! Camí es sin ésta... (señala L).

Beatriz: Entonces, ¿qué dice? Es difícil, ¿eh?

Camila: (Comienza a silabear todo el nombre) Ca-mi-la... Cami-la...

Beatriz: ¿Y así? (deja a la vista toda la palabra: CAMILA).

Camila: Y... Camila (con cara de "quién no lo sabe").

Beatriz: Y así (vuelve a dejar CAMIL□), ¿también dirá "Camila"?

Camila: Ca... me... la... mela... (pone cara de no saber).

Nico L.: Camí. Para mí que dice "Camí".

Beatriz: ¿Y así, Nico? (deja a la vista CAMI□).

Nico L.: (Sonríe) Así es Camí.

Beatriz: (Sonríe también) Claro... ¿Y así, entonces? (vuelve a dejar CAMIL□).

Nico L.: Camil... Camilí.

Patricio: Sí, Camilí.

Beatriz: Parece que está muy difícil... (Saca de la mesa su hoja y la de Camila, donde el nombre estaba escrito). A ver, todos menos Camila, ¿se animan a escribir "Camila"?

(Todos asienten).

Nico B.: (Escribe CMIL).

Nico L.: (Escribe CMLA).

Patricio: (Escribe CA , aparentemente por recordar el comienzo de la escritura que acababan de ver. Se detiene y parece desorientado). ¿Cómo era? Ca (señala la C), mi (señala la A), ¡ah! sí...
Cami... la (agrega una A . Queda CAA).

Beatriz: ¿Ya terminaron? A ver, Camila, ¿qué te parece?

Camila: (Revisa todas las hojas negando con la cabeza ante cada una). Están todos mal.

Nico L.: ¿Por qué?

Camila: Está todo mal, no se escribe así mi nombre.

Beatriz: Camila, mostrale tu hoja a Nico.

Nico L.: (Mira con atención la escritura de Camila) ¡Ah! No puse ésta (señala la primera A de CAMILA) ni ésta (señala la I), pero no está todo mal...

Beatriz: ¿Sabés cuáles son esas letras?

Nico L.: Sí, la "a" y la "i".

En este fragmento de la clase podemos advertir, una vez más, la importancia de las interacciones entre los alumnos. Vemos con qué naturalidad Nico B. informa a su compañero su idea de que en este texto (CAMI) debe decir "Camí", porque está la "i", dato que Nico L. parece poder entender (dice: "y, sí... termina con la i"), aunque para ambos todavía sea enigmático por qué debe llevar cuatro letras...

Otro dato que me parece remarcable es la reacción de Nico L. cuando compara su escritura (CMLA) con la que aparece en la hoja de Camila. El dice a su compañera: "No puse ésta (A) ni esta (I),*pero no está todo mal*". Es importante que pueda advertir las diferencias pero tal vez es más valioso que pueda defender su producción, desautorizando la sentencia de Camila referente a que *todo* estaba mal.

Analicemos el trabajo de la maestra.

La secuencia de las partes del nombre que Beatriz va dejando visibles no está prefijada de antemano, pero tampoco es azarosa. Hay un diálogo fluido entre la maestra y los alumnos: ella lleva a los niños a determinadas situaciones, pero a la vez se deja llevar por ellos, enriqueciendo la experiencia. En varias ocasiones, la decisión de cuál parte del nombre quedará a la vista depende claramente de alguna opinión expresada en ese momento por los niños, y es esta decisión la que desencadena nuevas reflexiones y autocorrecciones. Por ejemplo, cuando Nico L. opina que en **CA** dice "camí", Beatriz no lo contradice pero, acto seguido, deja visible **CAMI** preguntándole qué cree que dice ahí. Nico L. explora el nuevo fragmento, escucha y entiende lo que Nico B. explica, concuerda con él y puede seguir pensando y opinando de manera cada vez más acertada.

Cuando Nico L. comete su "error" la maestra, desde una perspectiva didáctica tradicional, se hubiera apresurado a marcarlo, dando de inmediato la información correcta para que el error "no se fije". En función de una postura teórica diferente y de los datos que aporta la realidad, tengo serias dudas acerca de la utilidad de ese tipo de intervenciones.

Ese diálogo fluido entre la maestra y los chicos muestra algunas de las características de la modalidad crítica de los trabajos piagetianos. Si bien la tarea pedagógica tiene su especificidad, diferente de la labor de un investigador, puede compartir con éste la necesidad de indagar permanentemente el pensamiento de los niños a fin de que el maestro pueda comprender a —y ser comprendido por— sus interlocutores. Esta posibilidad de comprender el pensamiento de sus alumnos le permitirá plantear situaciones más ricas para favorecer el aprendizaje.

Veremos ahora la transcripción de una clase que tuvo lugar a comienzos del mes de septiembre. Los participantes son otros, pero su escritura es equivalente a la de Camila y sus compañeros en el mes de mayo. Son niños que ingresaron a primer grado manejando hipótesis más primitivas y su evolución fue más lenta.

El grupo está formado por cinco integrantes, cuatro de los cuales (Lucas, Ignacio, Ariana y Jackie) escriben desde hace algunos meses guiados por la hipótesis silábica, aunque a veces aparecen elementos alfabéticos en sus producciones. La quinta participante (Jimena) logra trabajos alfabéticos cuando se trata de palabras aisladas pero escribe de manera silábico-alfabética cuando intenta producir textos más largos (o palabras más complejas). Esta niña llegó a la escuela después de un fracaso inicial: no fue promovida a 2do grado en el otro establecimiento. Ingresó sumamente bloqueada, sin haber logrado comprender lo que su maestra del año anterior enseñaba ni haber podido avanzar en su propio proceso de re-construcción del sistema de escritura. Al comienzo intentaba recordar combinaciones de letras que había incorporado mecánicamente el año anterior y las usaba azarosamente. Para escribir cualquier palabra colocaba combinaciones de "ma", "pa" y "sa", que no tenían nada que ver con lo que intentaba representar (por ejemplo: podía poner **pama** cuando quería escribir la palabra "conejo" o bien **amaso** cuando intentaba escribir "tijera"). A medida que transcurría el año, Jimena pudo ir pensando por sí misma y, en el mes de septiembre, se sentía muy dichosa porque estaba "entendiendo".

Entremos al salón de clase y veamos qué sucede ese 4 de septiembre a las 10 de la mañana. Además del grupo que trabajará con Beatriz, hay otros 14 niños presentes, que están repartidos en tres sectores. Cuatro están en el "sector de libritos" (biblioteca), en el que se disponen a contarse cuentos por parejas. Otros cinco niños están en el sector de "juegos tranquilos", donde hay una pila de revistas de las que recortan imágenes de medios de transporte, que luego pegarán en un álbum. Debajo de cada uno escribirán lo que consideren conveniente. Se trata de la confección de un material que donarán a la Biblioteca de la escuela. Los cinco alumnos restantes van a armar construcciones con bloques: al comienzo de la clase se ponen de acuerdo para armar un puente.

Acerquémonos al grupo que está con Beatriz. La distribución en la mesa es la siguiente:

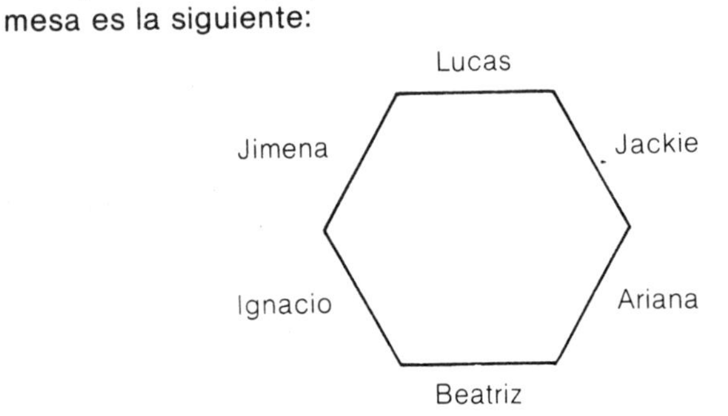

Beatriz: Yo les voy a dar un dibujito, ustedes lo van a pegar y escribir el nombre. Luego lo vamos a leer entre todos. (Entrega a cada uno la imagen de un pato) ¡No digan qué es! Vamos a ver si los dibujos me salieron bien y todos escriben lo mismo... (sonríe con picardía).

Ignacio: (Escribe PAO).

Jimena: (Escribe **pato** en cursiva. Ella continuó usando el tipo de letra que conocía del año anterior, aunque también podía escribir en imprenta).

Lucas: (Escribe PAO).

Jackie: (Escribe AO . Mira la hoja de Lucas y lanza una exclamación) ¡Ah! Me olvidé la de "papá". (Antepone a su escritura la P. Queda PAO).

Ariana: (Escribe ٩O).

Jackie: (A Lucas) Ésta es la de papá, ¿no? (señala la P).

Lucas: Es la "pe"...

Jackie: (Alarmada) ¿La pe? Entonces dice "peato"... (se queda preocupada).

Beatriz: ¿Qué era? ¿Qué escribieron?

Todos: ¡Pato!

Beatriz: (Sonriendo). Sí, era un pato. Parece que me salió bien el dibujo. Vamos a ver cómo escribieron. (Coloca las hojas en el centro de la mesa de modo que todos puedan verlas).

Ignacio: Yo lo puse así, ¿ves? Pa (señala PA), to (señala O).

Jimena: Yo lo puse así (señala su escritura de "pato" en cursiva) porque cuando digo "to" a mí me suena la "t", la "t" con la "o", to.

Jackie: (Sin preocuparse demasiado) Y a algunas personas les suena otra letra. (Mira a Beatriz que comienza a hablar).

Beatriz: Voy a escribir en la hoja de Jimena lo mismo que ella puso pero en imprenta para que los demás lo entiendan mejor (escribe PATO debajo de la escritura en cursiva).

Ariana: (Mira todas las hojas y se detiene en la de Jimena). Le sobra esta letra (señala la T en PATO).

Jackie: (Asiente muy complacida).

Beatriz: ¿Les parece?

Jackie y Ariana: Sí.

Beatriz: ¿Vos qué pensás, Jimena?

Jimena: (Sonriendo con expresión de suficiencia). No, no sobra. Para poner "to" hay que ponerla.

Ariana: (Hace un gesto de preocupación).

Beatriz: (A Ariana). Mirá, Ariana (le muestra las hojas de sus compañeros). Todos pusieron acá una "a" (señala la A en todas las escrituras), ¿por qué será?

Ariana: No sé...

Ignacio: Porque "pa" va con la "a"... si no sería "pe"... (se refiere a que si pone la P y la A es "pa", pero si la pone sola es "pe").

Ariana: ¡Ah! (Sonríe afirmando con la cabeza. Escribe ٩AO debajo de su escritura anterior ٩O).

(Ignacio, Lucas y Jackie aprueban la modificación).

Jimena: (Suavemente pero con insistencia) No es pao, Ariana, es pato... to, t-o.

Jackie: (A Beatriz) Decime, ¿vos, cómo escribís "pato"? (el tono es imperioso. Se la ve más enojada que preocupada).

Beatriz: (Sonríe) ¿Por qué me preguntás?

Jackie: Vos decime.

Beatriz: Yo lo escribo como Jimena.

Jackie: (Mira pensativa la escritura de Jimena). Bueno, entonces mejor sacá otra figurita.

Beatriz: Bueno. A ver si esta vez también adivinan todos... Acuérdense que no vale hablar. Lo escriben directamente y después leemos. (Entrega a cada uno el dibujo de una vaca).

Ignacio: (Escribe **MA**).

Jimena: (Escribe **vaca** en letra cursiva).

Beatriz: (A Jimena) ¿Lo podés escribir en imprenta para que los demás entiendan mejor?

Jimena: (Asiente. Escribe **VACA**).

Jackie: (Tiene el lápiz en la mano pero no escribe. Luego de unos segundos se dirige a Beatriz). ¿Cuál es la "va"?

Beatriz: Si yo escribo "vaso", ¿te puede servir para lo que necesitás?

Jackie: Vaso... va-so, ¡sí!

Beatriz: (Escribe en otra hoja **VASO**).

Jackie: (Rápidamente) Ésta (señala la **V**), la primera es la que necesitaba (con decisión escribe **VA**).

Lucas: (Sin hacer ningún comentario escribe **VCA**).

Ariana: (Escribe **AC**).

Beatriz: ¿Ya terminaron?

Todos: Sí.

Beatriz: ¿Qué escribieron? A ver, Lucas, ¿qué escribiste?

Lucas: Vaca.

Beatriz: (Sonríe y hace un gesto afirmativo con la cabeza).

Ignacio: (Se ríe). Se notaba que era una vaca...

Beatriz: ¿Todos escribieron "vaca"?

Todos: Sí.

Beatriz: ¿A ver cómo?

Lucas: Yo así. (Muestra su hoja a todos). Va (señala la **V**), ca (señala **CA**).

Jimena: Sí, ése está bien, pero Jackie escribió "va", no "vaca"...

Jackie: ¡No! Mirá (muestra su escritura **VA**). Va (señala la **V**), ca (señala la **A**), ¿no ves? Vaca.

Jimena: "Ca" se pone con la de Camila y la "a"...

Lucas: (Asiente complacido).

Ignacio: (Borra su escritura **MA** y pone **MCA**).

Beatriz: ¿Por qué lo borraste, Ignacio?

Ignacio: Porque no había puesto la "ce"... la de Camila.

Beatriz: ¿Y había que ponerla?

Ignacio: Y, sí. Para "ca" va...

Jackie: Pero lo que no va es la de mamá... (pone una carita pícara y sonríe).

Ignacio: (Mira su hoja y hace un gesto de sorpresa) ¡Ah! No... (Borra la **M** y copia de la hoja de Jimena la **V**. Queda **VCA**).

Beatriz: Jackie, ¿te parece que está bien lo que Ignacio puso ahora?

Jackie: Sí, ahora sí.

Beatriz: Vamos a ver la hoja de Ignacio y la tuya (toma las dos hojas con las escrituras **VCA** y **VA**).¿Están iguales?

Todos: ¡No!

Beatriz: ¿Estarán bien las dos?

Ignacio: No, porque...

Jackie: (Interrumpe) ¡Sí! ¡Porque yo lo pienso de esta manera y él de otra manera! (no parece dispuesta a aceptar cuestionamientos). (Se dirige a Beatriz) ¿Qué otra figurita tenés?

Beatriz: (Se ríe) Tengo otra pero es muy fácil... (muestra unos pescados).

Ariana: ¡Pescados!

Ignacio: ¿Lo escribimos?

Beatriz: ¿Quieren?

Todos: ¡Sí!

Beatriz: Bueno... pueden escribir "pez" y "pescado".

Ariana: "Pez" no puedo, porque me da una letra nada más...

(Comienzan a escribir sin consultarse).

Jimena: (Hace varios intentos: **pscdo, pcdo, pecdo** hasta llegar a **pescdo**, todos en cursiva. Luego agrega **pes**).

Lucas: (Escribe **PES** y **PCO**. Muy contento se dirige a Beatriz). Mirá, Beatriz, escribí "pez" y "pescado"... las dos. (Se lo ve muy orgulloso).

Ignacio: (Escribe **PAO** y **PC**. Le comenta a Beatriz que en la primera escribió "pescado" y la interpreta silábicamente. Cuando intenta dar cuenta de las dos letras de "pez", la segunda escritura, sonríe un poco desorientado).

Beatriz: ¿Qué pasa ahí, Ignacio?

Ignacio: No sé... Hay que ponerlas... pero, ¿cómo te muestro?

Beatriz: ¿Cómo me mostrás qué? (Sonríe).

Ignacio: Cómo dice...

Beatriz: ¿No podés?

Ignacio: No...

Ariana: (Que había escrito **PCO** para pescado y estaba prestando atención al diálogo) A mí me parece que eso es porque "pez" se escribe con una sola letra. Mirá. (Escribe **P**). Ya está. Pez.

Ignacio: Con una no puede ser...

Ariana: Y bueno, yo sé que no puede ser, pero me sale así...

Jackie: (Que había escrito solamente "pescado": **PAO**). Y bueno, che, si no puede ser, ¿para qué lo escribís?

Lucas: (Interviene hablando con mucha suavidad). ¿Saben? Yo lo escribí con tres letras...

Jackie: Pero, ¿"pez" o "pescado"?

Lucas: Pez... (mira su hoja y se sobresalta) ¡Y pescado también!

Ariana: ¿"Pez" y "pescado" con las mismas? (con tono descalificador).

Lucas: Las mismas no, pero son tres... y tres... (se lo ve desconcertado, como si no supiera muy bien por qué escribió así: PES y PCO).

Jackie: Para mí que está mal...

Jimena: (Que hasta ese momento había escuchado sin intervenir). No, Jackie, "pez" está bien así, porque "pe" es la "pe" con la "e" (muestra P y E en la escritura de Lucas). Está bien.

Ariana: (Mirando su escritura PCO) Ésta (señala la C) ¿es la "ca" o la "ce"?

Ignacio: Es la "ce"...

Ariana: ¿Y en "pescado" suena ésta? (cara de duda).

Ignacio: No, en "pez"... (recordemos que Ignacio escribió PAO para pescado y PC para pez) La "ce" suena en "pez"... en "pescado" me parece que no...

Jackie: Pero si suena en "Camila" (remarca la sílaba inicial) también tiene que sonar en "pescado" (remarca la segunda sílaba).

Ignacio: (A Beatriz) La "ce", ¿va en "pescado"?

Beatriz: Lucas la puso, Ariana y Jimena también... (muestra la C en las tres escrituras).

Jimena: Sí, porque es la "ce", pero sirve para poner "ca".

Beatriz: Explicanos cómo es eso...

Jimena: Sí, porque se llama "ce", es el nombre... pero, de verdad, es la "ca".

	ARIANA	JACKIE	LUCAS	IGNACIO	JIMENA
	90 9AO	PAO	PAO	PAO	pato ATO
	AC	VA	VCA	VCA	vaca VACA
	P PCO	PAO	PES PCO	PAO PC	pscdo pcdo pecdo pescdo pes

Tengo conciencia de que he abusado de la paciencia del lector al transcribir un registro tan extenso, pero todas las intervenciones me parecieron interesantes y dignas de ser expuestas. Esto me impidió tomar la decisión de hacer algún recorte.

Una vez más los chicos dan una buena muestra de su frescura e inteligencia. Lamentablemente la transcripción de una clase nos hace perder el ritmo de los diálogos, las expresiones de las caritas, las miradas... todos esos elementos inasibles por el lápiz y el papel que son tan importantes para poder captar a fondo el clima de trabajo y el verdadero espíritu de la situación.

En esa hora de trabajo los chicos parecían pequeños científicos en plena investigación: formulaban hipótesis, las ponían a prueba, cotejaban los resultados, emitían libremente sus opiniones. No hay un criterio de autoridad al cual deban ajustarse, y la prueba de ello son dos intervenciones (una de Jackie y la otra de Ariana) casi al comienzo de la clase. Ambas son conscientes de que Jimena sabe leer y escribir mejor que ellas; sin embargo, cuando no entienden lo que hace la compañera, lo cuestionan.

Vemos así, como Jackie alega que en la escritura de Jimena (PATO) sobra una letra (T), de la cual no puede dar debida cuenta; también oímos a Jackie responder displicentemente "y a algunas personas les suena otra letra" que, traducido a buen romance, sería algo así: "Puede ser que a tí te suene bien eso tan raro que yo no comprendo. No te critico, lo acepto. Pero no pretendas que todos pensemos igual..."

Estaba claro que ellas no podían asimilar el análisis alfabético que efectuaba Jimena. Es por esta razón que la maestra no las presiona dándoles la información "correcta". Sería inútil que lo hiciera, ya que ellas necesitan más tiempo, *su propio tiempo* para ir comprendiendo lo que a Jimena ya le resulta tan sencillo...

Esto es manifestado claramente por Jackie quien, después de los largos cabildeos acerca de la escritura de "pato" termina preguntándole a Beatriz cómo lo escribe ella. Quiere saber si su postura es correcta. La maestra da una respuesta negativa a su pregunta ("yo lo escribo como Jimena"). Prestemos ahora especial atención a la reacción de Jackie: "Bueno, entonces mejor sacá otra figurita" que está expresando con total transparencia su incapacidad para enfrentar el problema en *ese momento*.

Hago especial hincapié en datos como éste que, por lo general, la escuela no interpreta adecuadamente, ocasionando importantes daños intelectuales y afectivos. Existe una costumbre generalizada en el ámbito educativo que consiste en no permitir que un niño "se salga del tema", por concebir esta reacción como una falta de interés o dedicación por parte del alumno.

Ahora bien, hay muchas —muchísimas— ocasiones en que un niño *necesita* salirse del tema por no estar todavía en condiciones de enfrentarlo.

Esto no implica necesariamente que el niño no *quiera* aprender lo que se le está proponiendo sino, más bien, que no *puede* hacerlo en ese momento.

Jackie quería aprender. Y no abandonaba la partida. Fue bien explícita al respecto, ya que no dijo "Vayamos a jugar a la rayuela" sino "Entonces mejor sacá otra figurita"; dicho en otros términos: "No entiendo por qué esa palabra se escribe como ustedes dicen, pero voy a seguir intentando descubrir cómo funciona el sistema explorando otras escrituras".

Detengámonos en un momento de la clase a fin de comentar la respuesta de la maestra cuando Jackie le pregunta cuál es la "va". En esa ocasión Beatriz le pregunta, a su vez, si le servirá la escritura de la palabra "vaso" para solucionar su problema. Como la respuesta es afirmativa, la maestra escribe **VASO** y deja a Jackie tomar de ahí lo que necesite.

Esta estrategia fue utilizada frecuentemente cuando un niño preguntaba por alguna letra dando el sonido de una sílaba (como en el caso de Jackie), y surgió como un intento de resolver el siguiente problema: ¿qué se responde cuando un niño pregunta cuál es "*la* va"? La hipótesis del chico es que se trata de *una* sola letra y la respuesta correcta, referente a que ese sonido se forma con *dos* letras, puede llegar a ser excesivamente perturbadora en determinado momento del proceso. Por esta razón consideramos que podía resultar más neutral (y más rico) proponer al niño la escritura de otra palabra cuyo comienzo coincidiera con la sílaba pedida.

En este caso, Jackie estaba firmemente convencida de que se trataba de una sola letra y utilizó la inicial, adjudicándole un valor sonoro silábico. En otra ocasión, un niño que también estaba escribiendo guiado por la hipótesis silábica pero se encontraba en un momento más avanzado que Jackie (hacía muchos cuestionamientos y ya lograba algunas escrituras silábico-alfabéticas) quería escribir la palabra "caramelo" y me preguntó cuál era la "ca". Después de preguntarle si le serviría la escritura de "casa" y recibir una respuesta afirmativa, escribí **CASA**.

El niño se quedó mirando la escritura, dijo "ca" (señalando la **C**) y "sa" (señalando la **A**), luego comentó que había algo raro porque la "ese" (señalando la **S**, que él conocía) era la "sa" y debía estar en el lugar de la primera **A**. Se quedó un largo rato explorando el modelo y, súbitamente, dijo: "Me parece que "ca" son estas dos..." (señalando **CA**) ¡Claro! Y "sa" estas dos... la ese y la a... (señaló **SA**)", con una expresión de enorme alegría por su descubrimiento. Acto seguido, con la carita resplandeciente, me dice: "Entonces "saca" se escribe así" (y, muy decidido, escribió **SACA**).

Sabemos que una misma situación es interpretada por los niños de diferentes maneras, en función de los esquemas de asimilación de cada uno. Pero hay situaciones mejores que otras, hay intervenciones que abren un mayor abanico de posibilidades y otras que cierran. Creemos, en función de nuestra experiencia, que la estrategia utilizada por la maestra en el caso que estamos comentando, es una buena respuesta, por ser lo suficientemente neutral como para no contrariar de manera negativa las expectativas del niño, pero, a la vez, lo suficientemente rica como para permitirle explorar y seguir avanzando.

No vamos a comentar todos los diálogos de la clase, ya que resultaría reiterativo. Creemos que el lector puede interpretarlos adecuadamente sin mayores explicaciones.

Nos limitaremos a señalar el avance notable de Lucas al escribir la palabra "pez" con respecto a su escritura de "pescado" (**PES - PCO**). Tenemos aquí otro ejemplo de lo que comentábamos en el capítulo anterior: cómo la hipótesis de cantidad mínima de letras que una escritura debe tener para cumplir con el requisito de legibilidad, impulsa a un niño cuya conceptualización es silábica a efectuar un análisis más pormenorizado del monosílabo para que la producción le resulte aceptable.

Otra situación interesante es la que se suscita a partir de la escritura de "pez" y "pescado" en lo referente al grafema **C**. Como se comentara en el capítulo anterior, se trata de un grafema polivalente que, en el habla regional rioplatense, puede estar representando los fonemas correspondientes a **s** o a **k**. En este caso, Ignacio lo utiliza con el valor sonoro **s**, mientras el resto de sus compañeros lo hace para representar el fonema **k**. Uno y otros están considerando que el grafema es monovalente, es decir, que siempre va a representar un solo fonema.

No podemos dejar de sonreír ante la explicación final de Jimena: "se llama ce, es el nombre... pero, *de verdad*, es la ca". Para ella esto todavía es así, razón por la cual escribe **MACINA** y **CINTA** cuando quiere poner "máquina" o "quinta". Tanto a ella como a sus compañeros (a pesar de la diferencia existente entre ellos) les aguardan numerosos avatares y vicisitudes hasta que logren arribar a una total comprensión de la lengua escrita.

Lo mismo acontece con Juan, Melisa, Andy y Luciano con quienes nos encontraremos a continuación, trabajando con Beatriz el día 2 de octubre. A esta altura del año sus escrituras ya revisten características alfabéticas.

En esta oportunidad la maestra propone a los niños intercambiarse mensajes. El lector, con todo derecho, se preguntará: ¿qué tiene esto de particular?, ¿por qué elegir una situación común, cotidiana, para ilustrar una experiencia didáctica presuntamente novedosa? La respuesta es sencilla. Lamentablemente, en innumerables ocasiones, el sentido común no tiene cabida en la realidad escolar, razón por la cual la realidad queda fuera de las puertas de la escuela. De este modo la escritura es despojada de todos sus naturales atributos, quedando convertida en una ejercitación gratuita, cuyas funciones son ignoradas.

Hace tiempo, en un trabajo experimental, preguntamos a un grupo de niños pertenecientes a un grupo socio-económico desfavorecido para qué servía saber leer y escribir. Un número alarmante de chicos respondió: "para sacar buenas notas", "para pasar de grado", "para que la maestra esté contenta...". Lo grave del caso es que estos niños estaban terminando su primer grado de escolaridad primaria: en un año la escuela no había contribuido en nada para que ellos descubrieran que la alfabetización brinda posibilidades más fecundas que la mera aprobación de la maestra...

El objetivo de nuestra propuesta es que los niños aprendan a leer y a escribir. Esto implica no sólo el conocimiento de los elementos del sistema de escritura y sus reglas de formación, sino también desentrañar las múltiples posibilidades que brinda el dominio de la lengua escrita: posibilidades prácticas, expresivas, artísticas, lúdicas y científicas que exceden con mucho el ser —o no— promovido al grado inmediato superior. Seguramente muchos niños de clase media tienen la oportunidad de acceder a ese descubrimiento en sus hogares. En este caso consideramos que es responsabilidad de la escuela no tergiversar esa convicción.

Después de este comentario, volvamos al día 2 de octubre. La ubicación de los niños y la maestra es la siguiente:

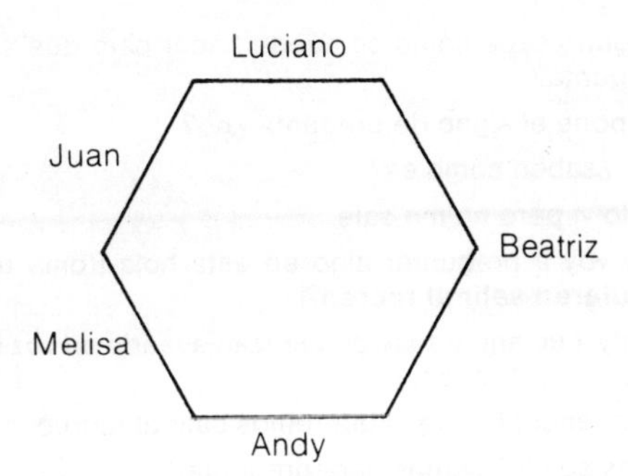

Beatriz: Yo quiero que ustedes se pongan a pensar algo que quieran decirle a los otros chicos de la mesa, pero sin decirlo. Lo piensan y lo escriben. Después los otros lo leen. Escriban claro para que se pueda leer.

Andy: ¿Como si fuera una carta?

Beatriz: Sí, pero no hace falta que sea muy larga...
(Cada uno escribe su nombre en su hoja. Juan y Luciano lo hacen con letra cursiva. Luego comienzan a escribir. Están muy concentrados. Escriben en silencio y rápidamente. Ninguno hace comentarios ni preguntas).

Andy: (Escribe **CHICOSSONMUYBUENOS**).

Melisa: (Escribe **CIE REN SER MISAMIGOS**).

Luciano: (Escribe **ALGIENKIERE BENIR AL CAMPO DE UNAMIGO**).

Juan: (Escribe en cursiva **ayer no vine a la escuela porque yege tarde a buenos aires**).

(Cuando van terminando esperan que acaben los demás. Se los ve entusiasmados).

Juan: Yo creo que el mío se puede leer bien...

Beatriz: A ver, vamos a tratar de leer el de Luciano (da vuelta la hoja de modo que todos puedan verla).

Melisa: Al-g-i.

Beatriz: ¿Saben qué vamos a hacer? Vamos a mirar todo lo que escribió, sin ir diciendo las letras, y cuando hayamos entendido lo decimos.

Andy: Alguien quiere...

Juan: Alguien quiere venir...

Melisa: (Sigue sonorizando las letras en voz muy bajita. Parece no comprender el texto).

Andy: Mirá, Melisa, dice: "Alguien quiere venir al campo de un amigo", ¿ves? (a continuación va silabeando el texto y mostrando con el dedo las partes correspondientes).

Juan: ¿Quién quiere ir? (La pregunta está dirigida a Luciano. Parece no comprender que la intención de éste era invitar a alguno. Se trataba de una pregunta, pero Luciano todavía no utiliza signos de interrogación).

Luciano: Yo les pregunto...

Beatriz: ¿Alguno sabe cómo se puede hacer para que se sepa que es una pregunta?

Andy: Se pone el signo de pregunta ¿no?

Beatriz: Sí... ¿saben cómo es?

Andy: Yo lo vi pero no me sale...

Beatriz: Les voy a preguntar algo en esta hoja (toma una hoja y escribe: **¿Quieren salir al recreo?**).

(Andy, Luciano y Juan comienzan a leerlo en voz baja. Melisa mira el texto y los escucha).

Juan: (Sonriendo) Dijiste si queremos salir al recreo.

Andy: ¡*Esos* son los signos para preguntar!

Luciano: (Mira con atención y traza en el aire con el dedo la forma del signo de interrogación mientras asiente con la cabeza).

Beatriz: Ahora vamos a leer lo que escribió Andy (gira la hoja para que los demás la vean).

Juan: Chicos, son muy buenos (lo lee con la entonación que correspondería a: "chicos: ustedes son muy buenos", tal como era el sentido del mensaje de Andy. Parece que para él no es un obstáculo la falta de signos de puntuación.)

Andy: (Toma la hoja de Melisa y trata de leer) Cie...rren sermis... ¡No entiendo! ¿Cómo lo escribe? (se lo ve enojado).

Beatriz: Leelo despacito, Andy, tal vez entiendas...

Andy: (Más enojado) Cie...rren ¡no se entiende nada! Lo que pasa es que ella también no sabe.

Juan: (Lee el resto del mensaje) Ser mis amigos.

Beatriz: Yo creo que Melisa quiso poner "quieren".

Andy: Acá (señala **CIE** en la escritura de Melisa) dice cie... ¡cie!

Beatriz: (A Luciano) ¿Podés escribir "quieren"?

Melisa: (Se la ve angustiada. Es muy tímida y parece haberse asustado por la reacción de Andy).

Luciano: (Escribe en su hoja **QUIEREN**).

Beatriz: Mirá, Luciano, vos aquí (le muestra **KIERE** en el texto que él escribió) lo habías puesto de otro modo...

Luciano: (Mira y sonríe).

Juan: Va con qu. Así como lo puso ahora está bien.

Beatriz: (A Luciano) ¿Por qué antes lo pusiste así? (**KIERE**).

Luciano: (Sonriendo) Porque pensé mal... No es con ka, es con qu, como queso.

Beatriz: ¿Y por qué no va ésta? (señala la **C** en **CIE REN**).

Juan: Ésta (señala **C**) con la i suena ci, no qui.

Luciano: (A Melisa) Como en mi nombre, ¿ves, Melisa? (Le muestra la escritura de su nombre en la hoja). Luciano se escribe con ce.

Beatriz: No te preocupes, Melisa, que esto ellos lo aprendieron hace muy poquito... Hasta hace poco ellos escribían eso igual que vos...

(Luciano y Juan asienten con la cabeza).

Andy: Yo hace rato que lo sé... (Con cara de suficiencia. En efecto, Andy fue quien llegó un día a clase informando a quien lo quisiera oír que "queso" no se escribía así: **CESO**, sino así: **QUESO**, sumiendo en gran estupor a la mayoría de sus compañeros).

Luciano: (Toma la hoja de Juan y lee) Ayer no vi-ne a la es-cuela porque llegué tar-de a Buenos Aires. (Se señala sonriendo muy orgulloso) ¿Viste, Juan? La leí en cursiva...

Juan: (Entusiasmado) ¿Por qué no escribimos cartas de verdad, las ponemos en sobres y se las mandamos a los otros chicos?

Beatriz: Me parece una idea genial. (Busca hojas y sobres y se los entrega).

(Todos comienzan a escribir, pero no dejan ver su escritura. Por lo general son mensajes cortos que guardan en los sobres. Luego van a entregarlos a diferentes compañeros).

Juan

Ayer no vine a la escuela por
que jege tarde a buenos aires

CIE REN SERMISAMIGOS MELiSA

ANDY
CHICOSSONMUYBUENOS

Luciano

ALGIENKIERE BENIR ALCAMPO.DE
UNAMIGO
QUiEREN

Comentaremos brevemente esta situación. Como los niños escriben sin hacer ninguna consulta, la maestra no interviene hasta que finalizan la confección de los mensajes. Su intención, al solicitar al grupo que lea las producciones de cada uno, es recabar la opinión de todos acerca de la legibilidad y adecuación de los textos. De esta manera se abre la posibilidad de que reflexionen e intercambien información.

Cuando Melisa comienza a sonorizar las letras de la escritura de Luciano, Beatriz desanima ese tipo de actividad, tratando de enfatizar que se trata de entender el mensaje, es decir, que leer no es descifrar sino construir el sentido del texto.

Podemos comentar otra intervención de la maestra, cuando Juan interpreta erróneamente el sentido del mensaje de Luciano: primero pregunta a los miembros del grupo si alguno sabe cómo se marca una pregunta y, como ninguno puede responder, propone el modelo para ver cómo lo procesan. Es interesante señalar que Beatriz no se limitó a mostrar el trazado de los signos de interrogación sino que los incluye en un contexto significativo. Vemos, asimismo, que ella no cuestiona la escritura de Andy (donde faltaban signos de puntuación), tal vez por considerar que los niños no estaban en condiciones de asimilar esa información.

Su intervención posterior, cuando comenta que Melisa quiso poner "quieren" (en **CIE REN**) tiene que ver con la situación particular del grupo en ese momento. Tal vez, en otra ocasión similar, ella se hubiera abstenido de opinar, esperando alguna resolución por parte de los niños. Pero en este caso intentó contrarrestar una actitud muy agresiva de Andy, que implicaba una absoluta descalificación de Melisa, cuya personalidad tímida y asustadiza le impedía defenderse y explicitar lo que había querido escribir.

Como puede advertirse, el manejo de un grupo excede la problemática teórica que se esté planteando, cosa que los docentes saben muy bien. En su intento de tranquilizar a Melisa, la maestra buscó incluso la complicidad de Juan y Luciano, quienes aceptaron con gran sabiduría que no se nace sabio.

Por último, cabe señalar cómo Juan enriquece la propuesta de su maestra, cuando sugiere escribir cartas, esta vez "de verdad".

Antes de finalizar este capítulo quiero incluír dos aclaraciones.

En primer término me referiré a la modalidad adoptada por la docente en todas las situaciones transcriptas: el trabajo en sectores o pequeños grupos. Debemos aclarar que no fue la única manera en que se trabajó durante el año: se realizaron también actividades en las que participó toda la clase y otras que eran estrictamente individuales. Decidí transcribir estas situaciones porque la modalidad de pequeño grupo permite registros más exhaustivos y en ellos se refleja, en detalle, la interacción entre los niños.

La segunda aclaración tiene que ver con el repertorio de actividades propuestas. Las hemos expuesto aquí por considerar que son buenas situaciones para favorecer el aprendizaje de la lengua escrita, pero esto no debe ser entendido como que son las mejores ni las únicas.

La intención es comunicar experiencias que puedan servir para abrir nuevos senderos, no para cerrarlos.

Comentarios finales

Comencé a redactar este trabajo hace un año, al terminar la experiencia. En el transcurso del ciclo lectivo de 1985 hubo dos grupos de primer grado, de 26 niños cada uno, que se aproximaron al sistema de escritura transitando un camino semejante al de sus compañeros del año anterior, coordinados por otras dos maestras —Marta Galván y Valeria Cassella— quienes aportaron a la tarea su capacidad docente y su inmensa creatividad. Ellas ahondaron el camino que había inaugurado su colega Beatriz Millone.

Por esta razón, me resulta más tentador comunicar alguna reflexión sobre las nuevas experiencias que dar un cierre al relato de la precedente. En realidad, ambas tendencias pueden conciliarse, ya que algunos comentarios sobre el trabajo de este último año con los dos grupos de primer grado pueden aportar información complementaria y aclaratoria a la ya transmitida.

Tuve a mi cargo, también en esta oportunidad, reuniones de capacitación con las docentes, supervisión del trabajo en el aula y la primera evaluación de los alumnos. Nos reuníamos semanalmente, hablábamos sobre el trabajo realizado y planificábamos las actividades de la semana siguiente.

A medida que avanzaban nuestras reuniones, yo hablaba cada vez menos y escuchaba cada vez más, del mismo modo que en el salón de clase participaba cada vez menos y observaba cada vez más.

Pude así valorar el sesgo personal que cada docente daba a su trabajo, que se manifestaba tanto en la elección —y en muchos casos invención— de las actividades que proponían a los niños como en la manera de organizarlas. En este sentido, una de las maestras manifestó una mayor predisposición al trabajo por sectores, coordinando la actividad de uno de ellos mientras los restantes trabajaban solos (coincidiendo con la modalidad usada de manera preferencial por la maestra del año anterior), en tanto la otra docente se sentía más cómoda organizando la tarea en los pequeños grupos pero interviniendo después en las distintas mesas en el transcurso de la hora de clase. También hubo, en los dos salones, actividades en las que participaban simultáneamente todos los alumnos, otras que se realizaban individualmente y pudimos apreciar las bondades del trabajo *por parejas* que, en algunas oportunidades resultó más fecundo que los pequeños grupos.

Las modalidades personales de las maestras resultaron igualmente ricas y adecuadas: la evolución de los dos grupos, así como el entusiasmo manifestado por los niños dan cuenta de ello.

Siempre hemos enfatizado el respeto hacia los alumnos cuando hablamos de estas propuestas constructivistas para encarar el aprendizaje de la lecto-escritura. Quisiera remarcar aquí el respeto hacia el maestro.

Creo que es irracional obligar a un docente a cambiar de perspectiva pedagógica si él considera que la suya es buena. Del mismo modo, me parece desacertado imponer a un maestro una modalidad de trabajo didáctico que no coincida con sus inclinaciones particulares, con su estilo de personalidad.

Las posibilidades concretas de intervención en el aula basadas en las investigaciones psicogenéticas de Ferreiro son innumerables. Así como cada niño tendrá sus estrategias personales para abordar el aprendizaje, cada maestro irá reconociendo en sí todos los recursos que será capaz de activar cuando conozca —y comparta— la concepción de aprendizaje que subyace a estos trabajos, así como los distintos pasos que va dando el niño en este proceso.

Actualmente ya hay un repertorio de actividades, fundamentadas en investigaciones, que son básicas, tanto de escritura como de interpretación de textos. Las posibilidades de incrementarlo son infinitas. Cada maestro será un investigador que cada año ampliará ese repertorio de posibilidades, con lo que su tarea al frente del aula puede convertirse en una fuente permanente de enriquecimiento personal, añadiendo el beneficio complementario (nada despreciable, por cierto) de soslayar el riesgo del aburrimiento.

Pasaremos a comentar las evaluaciones que se hicieron en el transcurso del segundo año de experiencia en 1er grado para controlar la evolución de los niños.

En la Introducción se consigna que las cuatro evaluaciones realizadas durante el año 1984 estuvieron a mi cargo y consistieron en entrevistas individuales conducidas de acuerdo con el método crítico, característico de las investigaciones piagetianas.

Se trataba del primer año que en la Escuela Jean Piaget se trabajaba de esta manera en lecto-escritura y la institución necesitaba un control riguroso de la situación: había que extremar todos los recaudos. No obstante, quedó demostrado con toda claridad que las maestras conocían perfectamente el nivel de conceptualización en que se encontraba cada uno de sus alumnos. Ninguno de los datos surgidos en las entrevistas fue una sorpresa para ellas. Por otra parte, teníamos la certeza de que eran las mismas docentes quienes debían realizar las evaluaciones ya que no siempre se contará —ni es deseable que así sea— con un asesor externo que complemente el trabajo del maestro.

Por estas razones, en el ciclo lectivo de 1985, yo tuve a mi cargo la evaluación inicial de los grupos, en parte por una comprensible inseguridad de las maestras ya que se trataba de su primera experiencia de este tipo, pero fueron ellas quienes evaluaron a los niños en las dos oportunidades siguientes, que tuvieron lugar en los meses de julio y noviembre (mediados y fin del año escolar).

El nivel de escritura fue evaluado mediante un dictado, similar al que realicé yo en la primera entrevista, que consistía en pedirles que escribieran una serie de palabras (vinculadas semánticamente) y algunas oraciones.

El dictado se hizo en el salón de clase. Las maestras explicaron a sus alumnos cuál era el sentido del mismo, es decir, que ellas pudieran tener claro qué sabía cada uno y qué dificultades tenían, a fin de poder ayudarlos mejor, razón por la cual en esa ocasión no iban a trabajar como lo hacían habitualmente (consultando a otros compañeros o a ellas o bien cotejando sus producciones), sino que el trabajo sería estrictamente individual.

Las escrituras no sorprendieron a las maestras, pero lo que sí resultó sorprendente fue la actitud de los niños: todos comprendieron cabalmente la razón del pedido de las maestras, se adaptaron a la situación novedosa sin dificultad y cada uno escribió de acuerdo con su saber y entender. Lo que nos causó gracia fue que a los niños pareció gustarles la experiencia y, posteriormente, demandaron en varias oportunidades a las maestras que les "hicieran dictado".

El nivel de lectura fue también evaluado en el salón de clase. En algunos casos —lectura de oraciones acompañadas por imágenes— interpretaban el material individualmente con la maestra y en otras oportunidades —textos más largos sin imagen—realizaban en sus bancos lectura silenciosa y comentaban posteriormente lo que habían comprendido. No lo hicieron todos a la vez ni el mismo día, pero en el transcurso del mes de evaluación las maestras pudieron registrar las aptitudes lectoras de sus alumnos.

Es importante destacar que las docentes evaluaban permanentemente, día a día, a través de la participación cotidiana, la manera en que los niños evolucionaban en su conceptualización de la lengua escrita, de modo que estas dos evaluaciones "formales" se cumplimentaron simplemente para dejar un registro institucional del nivel de cada uno.

A partir de esta experiencia estamos en condiciones de afirmar que el propio docente puede coordinar las actividades en el aula y las evaluaciones sin dificultad. Esto mismo se ha comprobado en otras experiencias realizadas en escuela pública con grupos más numerosos.

Cuando digo "sin dificultad" no me refiero a que un maestro esté capacitado para trabajar de esta manera de un día para el otro, sin más ni más. Muy por el contrario: esta perspectiva demanda una revisión radical del rol docente y esto implica un largo proceso, tanto para maestros recién recibidos como para aquéllos que cuentan con muchos años de antigüedad. Unos y otros comparten, por lo general, una ideología sobre la enseñanza que trasciende el ámbito de formación profesional. Me refiero a la concepción del aprendizaje más difundida en nuestra sociedad que confunde la comprensión de un problema con la repetición de la respuesta correcta. Lamentablemente nuestra educación está más asentada en la exigencia de memorización de datos que en la presentación de situaciones problemáticas que permitan y demanden a los alumnos desplegar todas sus potencialidades para resolverlas.

Hay una tendencia importante que postula escuelas para "enseñar a pensar" y no para almacenar información. La intención es buena aunque la expresión no sea feliz: el niño *sabe pensar*, pero necesita un ámbito escolar que permita y auspicie su reflexión.

Crear ese ámbito no es tarea sencilla. Por esta razón, los maestros necesitarán, y deberán exigir, las mismas prerrogativas que requieren los niños: tiempo para comprender y procesar una situación nueva y posibilidades de acceder a una capacitación adecuada para lo que es imprescindible la co-operación con sus pares.

El maestro, al igual que sus alumnos, deberá leer, pensar, revisar y cuestionar sus propias ideas, pedir información. Tampoco para él será provechoso un trabajo solitario. La interacción con otros docentes que compartan su inquietud, que se encuentren en la misma búsqueda, encarando la misma labor, le permitirá enriquecerse profesional y personalmente. Dar y recibir sigue siendo, tanto para los niños como para los adultos, una de las mejores experiencias vitales, esencial para ir construyendo el propio camino que, al decir de Antonio Machado, se hace al andar.

Queda aún, entre otras muchas, una deuda por saldar: la información acerca de la evolución posterior de estos niños de primer grado. ¿Qué pasa después? ¿Cómo procesan ellos las cuestiones ortográficas? ¿Cómo continúa su exploración de la lengua escrita? ¿Qué puede hacer el docente en grados medios y superiores para lograr que la escritura esté al servicio de los niños y no suceda lo contrario, es decir, que sea el alumno quien esté al servicio de la imposición arbitraria de reglas y normativas que, en muchos casos, le resultan incomprensibles?

Algunas de estas cuestiones sólo podrán dilucidarse a partir de trabajos de investigación básica que el quehacer pedagógico está demandando.

Resta mucho por hacer. Este libro comenta parcialmente una experiencia que constituye un eslabón de una larga cadena. Lo he encarado como un intento de intercambio de información. Sólo tiene sentido en el concierto de los trabajos de otros colegas que no han perdido la esperanza de contribuir a la construcción de una escuela donde los alumnos y los docentes podamos seguir investigando, reflexionando, aprendiendo. En suma: una escuela que nos permita crecer.

Buenos Aires, 1986

BIBLIOGRAFIA

ALARCOS LLORACH E., "Las representaciones gráficas del lenguaje" en ***Tratado del lenguaje*** Nº 3, Ed. Nueva Visión, Buenos Aires, 1976.

DUCKWORTH E., "El tener ideas brillantes" en ***Piaget en el aula,*** M. Schwebel y J. Raph, Huemul, Buenos Aires, 1984.

FERREIRO E. y TEBEROSKY A., ***Los sistemas de escritura en el desarrollo del niño,*** México, Siglo XXI, 1979.

FERREIRO E. y GOMEZ PALACIO M. Eds., ***Nuevas perspectivas sobre los procesos de lectura y escritura,*** México, Siglo XXI, 1982.

FERREIRO E., GOMEZ PALACIO M. y cols., ***Análisis de las perturbaciones en el proceso de aprendizaje escolar de la lectura y la escritura,*** México, D.G.E.E., 1982. (5 fascículos).

FERREIRO E. y otros, ***El niño preescolar y su comprensión del sistema de escritura,*** México, D.G.E.E., 1979.

FERREIRO E. y TEBEROSKY A., "La adquisición de la lecto-escritura como proceso cognitivo", ***Cuadernos de Pedagogía,*** Barcelona, mayo 1978.

FERREIRO E. y TEBEROSKY A., "La comprensión del sistema de escritura: construcciones originales del niño e información específica de los adultos", ***Lectura y Vida,*** Buenos Aires, Año 22, Nº 1, marzo 1981.

FERREIRO E., "¿Se debe o no enseñar a leer y escribir en jardín de niños? Un problema mal planteado". ***Preescolar,*** D.G.E.P., México, Vol. 1, Nº 2, 1982.

FERREIRO E. y cols., ***Los adultos no alfabetizados y sus conceptualizaciones del sistema de escritura,*** Cuaderno DIE Nº 10, México, 1983.

FERREIRO E., ***La práctica del dictado en el primer año escolar,*** Cuaderno DIE Nº 15, México, 1984.

FERREIRO E., "Psicogénesis de la escritura" en C. Coll (Ed.) ***Psicología genética y aprendizajes escolares,*** Madrid, Siglo XXI, 1983.

FERREIRO E., ***Proceso de alfabetización. La alfabetización en proceso.*** Centro Editor de América Latina, Buenos Aires, 1986.

GOMEZ PALACIO M. y KAUFMAN A.M., ***Implementación en el aula de nuevas concepciones sobre el aprendizaje de la lectura y la escritura,*** México, DGEE-SEP-OEA, 1982.

KAUFMAN A.M., "Una experiencia didáctica basada en el proceso de adquisición de la lengua escrita" en J.A. Castorina y otros, ***Psicología genética,*** Miño y Dávila Eds., Buenos Aires, 1984.

LERNER D., "Aprendizaje de la lengua escrita en el aula", Caracas, Ministerio de Educación -Fundación B. Van Leer, 1980.

PIAGET J., ***Epistemología Genética,*** Barcelona, A. Redondo Editor, 1970.

PIAGET J., ***La toma de conciencia,*** Madrid, Ed. Morata, 1976.

PIAGET J., ***La equilibración de las estructuras cognitivas,*** Madrid, Siglo XXI, 1978.

RODARI G., ***La gramática de la fantasía,*** Barcelona, Ferran Pellissa Ed., 1979.

STUBBS M., y SARA DELAMONT Eds., ***Las relaciones profesor-alumno,*** Oikos-Tau, Barcelona, 1978.

STUBBS, M., ***Lenguaje y Escuela - Análisis sociolingüístico de la enseñanza,*** Madrid, Cincel-Kapelusz, 1984.

TEBEROSKY A., "Construcción de escrituras a través de la interacción grupal" en ***Nuevas perspectivas sobre los procesos de lectura y escritura,*** Ferreiro y Gómez Palacio Eds., México, Siglo XXI, 1982.

TEBEROSKY A., "La intervención pedagógica y la comprensión de la lengua escrita", ***Lectura y Vida,*** Buenos Aires, Año 5 Nº 4, diciembre 1984.

TONUCCI F., ***Por una escuela alternativa,*** Seminario sobre el movimiento de cooperación educativa de Italia, Barcelona, G.R.E.C., 1977.

AULA XXI/SANTILLANA ESPAÑA

1 *E. Paul Torrance y R. E. Myers*
La enseñanza creativa

2 *Wilhelm H. Peterssen*
La enseñanza por objetivos de aprendizaje: Fundamentos y práctica

3 *Ved P. Varma*
Tensiones en la infancia

4 *J. Mark Ackerman*
Aplicación de las técnicas de condicionamiento operante en la escuela

5 *National Council of Teachers of Mathematics*
Matemática moderna para profesores de enseñanza elemental

6 *Robert G. Owens*
La escuela como organización: Tipos de conducta y práctica organizativa

7 *D. K. Wheeler*
El desarrollo del Currículum escolar

8 *Luis Miguel Villar Angulo*
La formación del profesorado: Nuevas contribuciones

9 *Robert M. W. Travers*
Fundamentos del aprendizaje

10 *Leland W. Howe y Mary Martha Howe*
Cómo personalizar la educación. Perspectivas de la clarificación de valores

11 *Gilbert De Landsheere*
Cómo enseñan los profesores. Análisis de las interacciones verbales en clase

12 *Kenneth D. George, Maureen A. Dietz, E. C. Abraham y Miles A. Nelson*
Las Ciencias Naturales en la Educación Básica. Fundamento y métodos

13 *Kennet D. George, Maureen A. Dietz y Eugene C. Abraham*
La enseñanza de las Ciencias Naturales. Un enfoque experimental para la Educación Básica

14 *Selección y estudio preliminar de Francisco J. Laporta*
Antología pedagógica de Francisco Giner de los Ríos

15 *A. Molero Pintado*
La reforma educativa de la Segunda República Española. Primer bienio

16 *Peter Slade*
Expresión dramática infantil

17 *Harold Morine y Greta Morine*
El descubrimiento: un desafío a los profesores

18 *G. Rae y W. N. McPhilimy*
El aprendizaje en la Escuela Primaria. Un enfoque sistemático

19 *Daniel J. Safer y Richard P. Allen*
Niños hiperactivos: Diagnóstico y tratamiento

20 *James W. Botkin, Mahdi Elmandjra y Mircea Malitza*
Aprender, horizonte sin límites. Informe al Club de Roma

21 *Robert H. A. Haslam y Peter J. Valletutti*
Problemas médicos en el aula. El papel del profesor en su diagnóstico y tratamiento

22 *Welkowitz, Ewen y Cohen*
Estadística aplicada a las Ciencias de la Educación

23 *Varios autores*
El Ciclo Inicial en la Educación Básica

24 *Varios autores*
El Ciclo Medio en la Educación Básica

25 *Lorna Wing, Margaret P. Everar y otros*
Autismo infantil. Aspectos médicos y educativos

26 *Willem Oltmans*
Sobre la inteligencia humana

27 *Amando Vega Fuente*
Los educadores ante las drogas

28 *Joaquín García Cárrasco*
La Ciencia de la Educación. Pedagogos, ¿para qué?

29 *Miguel Toledo González*
La escuela ordinaria ante el niño con necesidades especiales

30 *Luis Bravo Valdivieso*
Dislexias y retraso lector. Enfoque neuropsicológico

31 *Philips H. Coombs*
La crisis mundial de la educación. Perspectivas actuales

32 *Miguel Siguán y William F. Mackey*
Educación y bilingüismo

33 *J. R. Gimeno, M. Rico y J. Vicente*
La educación de los sentidos. Teoría, ejercitaciones, aplicaciones y juegos

34 *John Nisbet y Janet Shucksmith*
Estrategias de aprendizaje

35 *J. L. Castillejo, B. Gargallo, C. Baeza, M.ª D. Peris y A. Toledo*
Investigación educativa y práctica escolar. Programas de acción en el aula

36 *Jesús Mesanza López*
Didáctica actualizada de la Ortografía

37 *R. García López, B. Martínez Mut y P. Ortega Ruiz*
Educación compensatoria. Fundamento y programas

38 *Joan Freeman (dirección)*
Los niños superdotados. Aspectos psicológicos y pedagógicos

39 *J. L. García Garrido*
La enseñanza primaria en el umbral del siglo XXI

40 *M.ª Teresa Cascallana*
Iniciación a la matemática. Materiales y recursos didácticos

AULA XXI/SANTILLANA ARGENTINA

Ana María Kaufman
La lecto-escritura y la escuela

Germán Rafael Gómez, Alvaro Rafael Gómez
Informática para educadores

Domingo Tavarone
Metodología de la comprensión del discurso

Se terminó de imprimir en el mes de mayo de 1994,
con una tirada de 3.000 ejemplares, en Color EFE, Paso 192
(1870), Avellaneda, República Argentina.